P9-DET-457

DE EERLIJKE VINDER

Dit Boekenweekgeschenk krijg je
cadeau van je boekverkoper.

De eerlijke vinder is een uitgave van
Stichting Collectieve Propaganda
van het Nederlandse Boek ter
gelegenheid van de Boekenweek 2023.

Lize Spit

DE EERLIJKE VINDER

Stichting Collectieve
Propaganda van het
Nederlandse Boek

Uitgave: Stichting CPNB
Redactie: Das Mag Uitgevers
Omslagillustratie: Verve Agency
Vormgeving: Frank August
Druk- en bindwerk: GGP Media GmbH
Auteursfoto: Shody Careman

ISBN 978 90 5965 732 8
NUR 301

lizespit.be
dasmag.nl
boekenweek.nl

Boekenweek
Boekenweek
boekenweeknl

#eenboekkanzoveeldoen

Voor Elbie Zenelaj

Lize Spit (1988) groeide op in de Antwerpse Kempen en woont sinds 2005 in Brussel. In 2016 verscheen haar debuutroman *Het smelt*, waarvan meer dan 200.000 exemplaren werden verkocht. Er volgden vertalingen in zestien landen en een verfilming, die in het voorjaar van 2023 wordt uitgebracht. Het boek won de Bronzen Uil, de Boekhandelsprijs, de Hebban Debuutprijs, de Lucy B. en C.W. van der Hoogt-prijs, werd *NRC* Boek van het Jaar en haalde de shortlist van de Libris Literatuur Prijs en de Premio Strega Europeo. Lize is gastdocent creatief schrijven aan het RITCS en ze is columnist bij dagblad *De Morgen*. Haar tweede – volgens *NRC* 'onweglegbare' – roman verscheen in december 2020: *Ik ben er niet*.

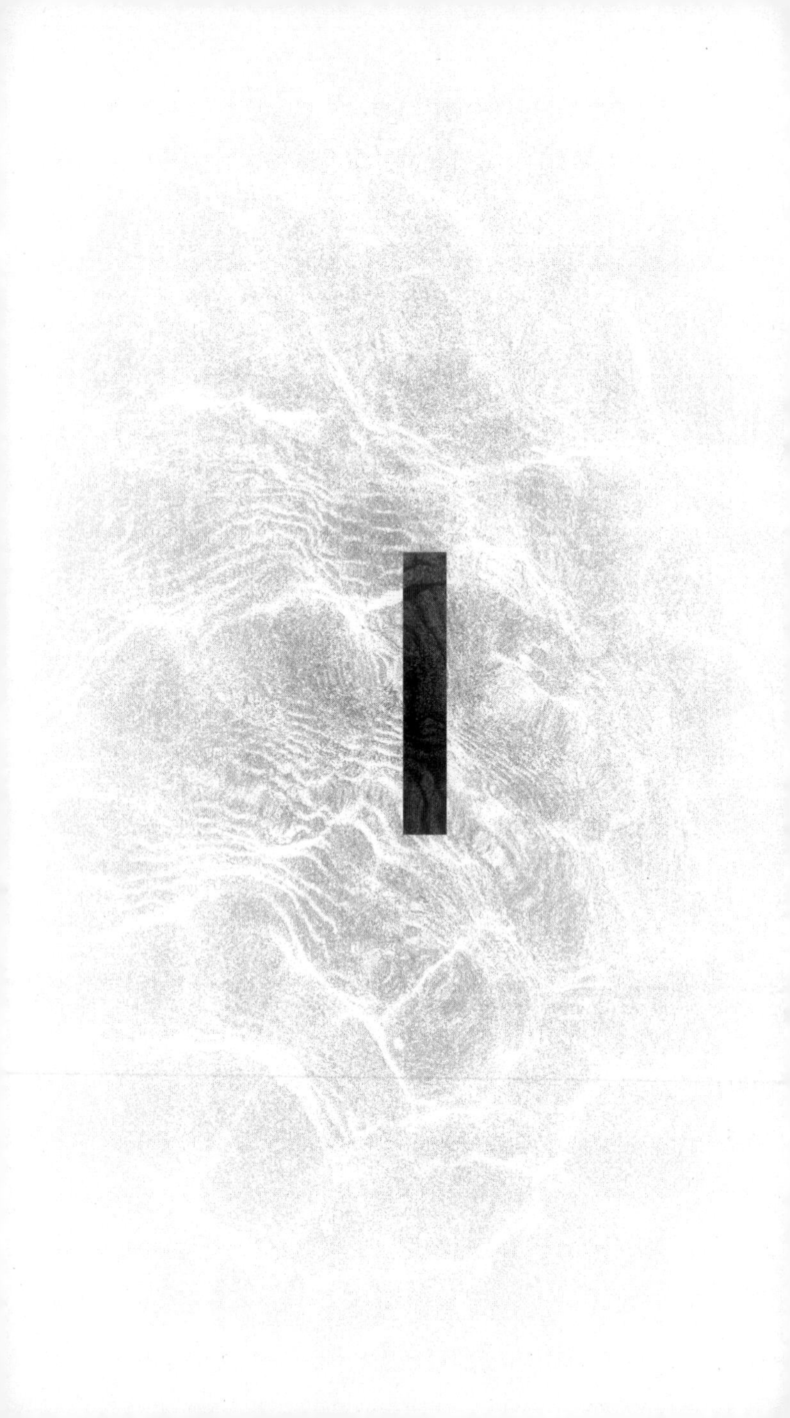

Veel meer kon Tristan er aan de telefoon niet over vertellen. Hij had een plan bedacht, ze zouden het morgen uitvoeren, ze hadden Jimmy erbij nodig, daarom zou het handig zijn als hij vanavond bleef slapen. Kon hij vanmiddag om twee uur al komen?

Tristan hing op, een kans om vragen te stellen kreeg Jimmy niet. Hij bleef een tijdje staan, de hoorn nog in de hand.

Het was de eerste keer dat iemand hem uitnodigde om te komen logeren, en Tristan was niet zomaar iemand. Bij de Ibrahimi's thuis sliepen ze niet in aparte bedden, maar allemaal samen op matrassen op de grond, dat had Jimmy met eigen ogen gezien toen ze laatst verstoppertje speelden en hij de slaapkamerdeur open had gegooid op zoek naar een schuilplaats. De kamer was als een uitgekomen wens, een landingsbaan van kussens en dekens waar je meerdere achterwaartse koprollen na elkaar kon maken, of radslagen of handstanden, zonder je rug te breken.

Als hij zich nu voorstelde dat hij daar vanavond zou liggen, tussen Tristan en zijn zeven broers en zussen, speelde in Jimmy's borst iets op, iets vrolijks maar ook dofs, alsof iemand een triangel aansloeg met een wortel.

Voor het partijtje kon aanvangen, moest hij op zijn dagelijkse ronde. Om, zoals hij het zelf noemde, zijn beroep uit te oefenen, dat erin bestond eerlijk te zijn en alert. Want behalve Tristans beste vriend bleef hij ook een wereldberoemd verzamelaar in wording. En wat zo'n beroemd verzamelaar in wording onderscheidde van een hoogstwaarschijnlijk matig verzamelaar: onder geen beding van je route afwijken. Niet bij regen, niet bij hagel, niet bij zenuwachtigheid. Pet op dus, een dubbele knoop in zijn veters, en zijn rechterbroekspijp wegsteken in zijn sok.

Jimmy fietste de nieuwe wijk uit, op zijn op de groei gekochte BMX met veertien versnellingen en een koplamp waarop hij met zwarte stift zijn initialen had gezet. Eerst links afdraaien op de Herentalsebaan, een kilometer rechtdoor koersen naar het erf van de appelkwekerij in Broechem, waar de spaarpot stond voor de zelfbediening en waar klanten die vanuit hun autoraam betaalden weleens geld ontglipte. Daarna over de Liersebaan, langs de Cool Down, het DrankenArsenaal, De Engel, de Patriot, langs zo veel mogelijk andere zaken die rond de steenweg lagen, om te gaan voelen in het teruggeefvakje van de sigarettenautomaten, de gokmachines en de geldwisselmachines van de biljarttafels, daarna naar de voetbalkantine, alle lockertjes in de kleedkamers checken. Tijdens het fietsen de blik onafgebroken op het wegdek gericht houden om verloren muntjes te spotten. Niet te beroerd zijn om te stoppen bij elke brood-, condoomen snoepautomaat, bij elke parkeermeter, en alle rondslingerende winkelkarretjes terug te zetten op de parkeerplaatsen van de ALDI, de Lidl, de GB, het tuincentrum en het tegelfiliaal – niet alleen omdat hij wat nerveus werd als dingen niet netjes op hun plaats stonden, maar ook omdat daar vaak nog twintig Belgische frank aan te verdienen viel.

Hij was bijna bij het gemeenteplein, het verste punt van zijn route, waar hij omkeerde om via een iets ander traject naar huis te gaan. Enig geluk had hij nog niet gehad. In de verte kon hij het Cera-kantoor zien, daar was de geldautomaat, de plek waar theoretisch gezien het meest mogelijk was, het punt waar deze tocht naar opbouwde.

Het was bewolkt, lauw en windstil, geen vrolijk flapperende vlaggetjes aan de frituur. Matig zomerweer dat niet helemaal paste bij de opwinding die Jimmy voelde, dat niet paste bij de dag waarop voor het eerst in zijn leven een logeerpartij zou plaatsvinden.

Hij zag het niet meteen. De blikken die hij vanuit de verte op de bankautomaat wierp, gingen uit pure gewoonte al vergezeld met relativerende zinnetjes – het zou ook gewoon té gemakkelijk zijn, geld vinden bij een bankfiliaal. Toen hij eenmaal dicht genoeg genaderd was, kreeg hij een schok waarvan hij over zijn hele lijf ging trillen. Net vandaag, net nu hij met zijn dagdromen bij Tristan en bij vanavond was, gebeurde waarop hij maandenlang had gehoopt: er staken briefjes uit de klep. De bron van alle geld, de schatfabriek van de rijken had voor Jimmy iets bewaard!

Hij wilde dit geluk zo lang mogelijk doen duren, uitrekken tot een flinterdunne draad die maar niet afgewikkeld raakte, hij wilde Tristan erbij halen om het geluk te verdubbelen, maar uit angst dat de automaat zich zou bedenken en het geld weer zou opslorpen, haastte Jimmy zich. Zijn BMX liet hij vallen waar hij stond, en hij spurtte over de brede stoep naar de gleuf. Hij moest het tellen, hij kon zich pas echt de vinder noemen als hij wist hoeveel het exact was. Het was een heel bundeltje, hij had nog nooit briefgeld vastgehad dat zo talrijk was dat het gewicht had. Op de voorkant van het vijfhonderdfrankbiljet stond een serieuze meneer. Jimmy drukte de meneer op het bovenste briefje tegen zijn wangen, eerst rechts – dank u! – en dan links – dank u! Waarom had niemand hem eerder verteld hoe glad nieuw briefgeld was, zacht als een vers gewassen kussensloop?

Hij keek om zich heen. Het ruiterstandbeeld in het midden van het plein, de etalage van de gesloten broodjeszaak, de poort van de brandweerkazerne. Het was geen grap, er stapte nergens een cameraploeg naar buiten, er waren zelfs geen getuigen, het dorpscentrum lag er verlaten bij.

Hij telde het geld opnieuw, bang dat de meneer op het biljet was gaan protesteren omdat hij niet door een jongen met de achternaam Sluis, zoon van een failliete verzekeraar, gevonden had willen worden, maar nee, het bleven dezelfde tien blauwe briefjes, en dat was – even rekenen – vijfduizend frank waard.

Vijfduizend frank, dat wilde zeggen: meer dan tweehonderdvijftig zakken chips als je ze in de grote supermarkt kocht. En meer dan tweehonderdvijftig grote zakken chips, dat wilde zeggen: meer dan zevenhonderdvijftig flippo's,

met telkens de kans op een nog ontbrekend exemplaar.

Hij besnuffelde de briefjes, ze roken verrassend neutraal, hij rolde ze op, klemde de dikke vette sigaar tussen zijn lippen zoals De Mesmaeker in de strips van Guust Flater deed, alleen was hij geen rijke zakenman met een map vol contracten, binnenkort was hij iets beters: een wereldberoemd verzamelaar.

Jimmy liep terug naar zijn fiets. Hij had nog de hele weg naar huis om te bedenken hoe hij het zou aanpakken. Hij zou in de dichtstbijzijnde supermarkt alvast wat chips kunnen uitkiezen, het maximumaantal zakken dat hij met de BMX mee kon torsen, een boodschappentas aan elk handvat, en dan de van hun flippo's ontdane chips meenemen naar Tristan vanmiddag, voor iedere Ibrahimi een andere smaak. Of nee, hij moest dit slim aanpakken, hij kon beter het volledige bedrag bij een en dezelfde winkel besteden, aangezien de flippo's in de juiste volgorde werden toegevoegd aan zakken die van de band rolden, dus als je van eenzelfde partij kocht, kon het niet anders dan dat je hele flippoverzameling, van nummer 1 tot 295, in één klap compleet was, en meer nog, dat je meteen twee verzamelingen compleet had. Hij zou nonkel Kurt het bundeltje briefjes kunnen tonen – die deed altijd vriendelijk tegen mensen die veel geld op zak droegen – en hem vragen om straks met de aanhangwagen naar de Makro te rijden. Voor zover hij wist, was er in de hele provincie nog niemand die een complete flippoverzameling bezat. De krant zou er zeker over schrijven en een fotograaf sturen, zoals ze dat ook deden bij de beste pompoenkweker van de streek of de succesvolste snoekvanger van de visclub.

Hij zag het al voor zich, het gemeenteplein, de ceremonie waar de burgemeester hem zou huldigen als eerste verzamelaar met twee volledige verzamelingen, de fanfare met majorettes, onder wie de twee oudste zusjes van de Ibrahimi's, er zouden klaptafeltjes door de gemeente geplaatst zijn, netjes aangekleed met papieren tafellakens en kommetjes chips, er zou applaus zijn, misschien zou zelfs zijn vader komen kijken, en dan moest het beste nog komen, het moment suprême: de overhandiging van de albums met dubbelen aan Tristan, die ze met open mond zou ontvangen en in één klap ook een topverzamelaar zou zijn.

Jimmy keek op zijn horloge, het was hoog tijd om te gaan, om twee uur moest hij bij Tristan zijn. Hij was nog nooit te laat gekomen.

Net toen Jimmy het geld wilde wegsteken in het buideltasje dat hij aan het stuur had bevestigd, naderde er een witte sportwagen, die abrupt remde ter hoogte van het bankkantoor. Er stapte een keurig geklede dame op hoge hakken uit. Ze was pezig en slank als een windhond. Rakelings marcheerde ze langs Jimmy, recht op de automaat af. Daar keek ze even rond, rammelde aan de klep, draaide zich om. Pas toen kreeg ze Jimmy in het oog. Ze keek naar het buideltasje, waarvan de rits nog openstond. Stuntelig moffelde hij het bundeltje geld in zijn broekzak.

'Heb jij toevallig net briefjes van vijfhonderd uit de automaat genomen?' Haar roodgelakte tenen zaten samengepropt in de open punt van haar schoenen.

Hij had meteen moeten wegfietsen. Hij was zo stom geweest zijn geld niet op een veilige afstand van de automaat te gaan tellen.

Hij schudde zijn hoofd net niet nadrukkelijk genoeg.

Ze bleef staan. 'Ik heb nog geen vijf minuten geleden een groot bedrag afgehaald om mijn aannemer te betalen' – ze klonk fermer nu – 'en blijkbaar geeft die rotautomaat het in twee keer, zonder waarschuwing. Ik heb met m'n verstrooide hoofd de tweede helft gewoon laten zitten. Vijfduizend frank, foetsie.'

Ze volgde nauwlettend elke beweging van zijn hand, die hij weer uit zijn broekzak haalde, zonder geld. 'Wat heb jij net in je broekzak gestoken?'

'O, niets hoor,' zei Jimmy zo beheerst mogelijk. In zijn buik werden duizend triangels tegelijk aangeslagen. Hij bedacht manieren waarop hij kon vluchten. In theorie was heel veel mogelijk.

Ze wees naar zijn hand. 'Laat me de binnenkant van je broekzak zien.'

Hij trok zijn T-shirt uit zijn broek los, die was iets te groot en bedekte zijn zakken.

'Het geld is van mij,' zei de vrouw. 'Als je me niet gelooft, dan kunnen we de camerabeelden van de automaat opvragen.' Ze wees naar de automaat, zwaaide, alsof dit ook allemaal gefilmd werd.

Hij was een ervaren Eerlijke Vinder. Had hij nu zijn stropdas en zijn handschoenen maar bij zich, dan zou ze zien dat hij dit serieus meende, dat hij van vinden zijn beroep had gemaakt, dan zou hij het zinnetje durven te herhalen dat hij zijn moeder de laatste maanden oneindig vaak had horen uitspreken, elke keer dat ze spullen van zijn vader naar de kringloopwinkel had weggebracht of bij het vuilnis had gekieperd: 'Opgestaan is plaats vergaan.'

'Maar ik weet precies hoeveel het is,' stamelde hij. 'Hoe kan het dan van u zijn?'

De vrouw stak haar open hand naar hem uit. 'Ik heb je net verteld hoeveel het is, slimmerik. Geef mijn centen terug of ik bel de politie.'

Net was Jimmy nog op het gemeenteplein gehuldigd, het applaus was zelfs nog niet uitgedoofd, en nu moest hij alles terugdraaien. Tristan moest zijn opengevallen mond weer dichtdoen en de net overhandigde albums aan Jimmy teruggeven, de burgemeester slikte zijn speech weer in, de gemeentearbeiders klapten alle tafeltjes weer dicht en draaiden het tafelpapier weer op de rol, de hele ceremonie was een vergissing, al die flippo's moesten opnieuw in de chipszakken, de zakken weer de aanhangwagen in, het zeil er weer over, en hij erbovenop, achterstevoren liedjes zingend, alles terug naar de Makro, waar de zakken weer netjes in de dozen en de dozen weer in de schappen moesten komen. Nonkel Kurt wilde hoe dan ook betaald worden, dus eigenlijk maakte Jimmy zelfs verlies.

'Dit geld is niet voor mij, het is voor Tristan,' zei hij. 'Weet u wie hij is? Tristan Ibrahimi? Ik blijf vanavond bij hem slapen. Hij is doof aan één oor. En hij bezit nul flippo's want zijn ouders kopen alleen maar chips van het witte product.'

De vrouw leek allesbehalve onder de indruk, ze kwam wellicht ook niet van hier. Wie weet had ze in haar dorp haar eigen gezin Kosovaren.

'Ze zijn helemaal te voet naar hier gekomen. En onderweg hebben ze een gebakken foetus moeten opeten van de soldaten, en Tristan heeft een granaat van zo dichtbij horen afgaan dat zijn trommelvlies gesprongen is.'

De vrouw schudde haar hoofd en bracht haar geopende hand nog dichterbij, tot vlak voor Jimmy's gezicht. Jimmy trok zijn fiets, die tussen hen in stond, dichter naar zich toe.

'Zonder dit geld kan zijn trommelvlies niet hersteld worden.'

Ze maakte een ongeduldig gebaar met haar hand.

Hij haalde het rolletje biljetten uit zijn zak en legde het in haar palm. Bij het loslaten voelde hij de tranen in zijn ogen opwellen.

'Dank je wel. Normaal zou ik je een vindersloon geven, maar je hebt staan liegen.'

Was Tristan nu maar hier, die had een oorlog overleefd, die slachtte zelf kippen, die zou vast en zeker weten wat ze met deze vrouw konden aanvangen.

De vrouw stapte de wagen in. Pas toen de auto uit het zicht was, kwam Jimmy in beweging. Wilde hij nog tijd hebben voor zijn vaste ritueel voor hij naar Tristan zou vertrekken, dan moest hij doorfietsen. Hoe vreemd deze dag tot nog toe ook verlopen was, een verzamelaar mocht zich nooit laten kennen.

Hij liep naast zijn fiets tot zijn benen niet langer trilden. Daarna stapte hij op en begon te trappen in het hoogste verzet.

Iets meer dan een jaar geleden, een maand nadat Jimmy's vader was vertrokken, verscheen Tristan in Jimmy's leven. Het was op een woensdag, vlak na de zwemles. De avond ervoor had Jimmy nog naar de Flippofoon willen bellen, om hun over de scheiding van zijn ouders te vertellen in de hoop dat ze zeldzame exemplaren opstuurden naar meelijwekkende kinderen, maar hij had zich bedacht en had opgehangen voor zijn oproep beantwoord zou worden, want misschien beschikten ze over een database en konden ze zien wat zijn vader had mispeuterd.

Met nog natte haren stapte Jimmy die woensdag uit de bus die de hele tweede en derde graad naar het gemeentelijk zwembad in Pulderbos had gevoerd. Hij slofte voor de rest van de klas uit terug naar het lokaal, waar na een koekkwartiertje de les begrijpend lezen zou aanvangen. Jimmy haatte die les, want de juf noemde willekeurig de namen van wie hardop verder moest lezen en Jimmy kon zich onmogelijk concentreren op de tekst als er natte strengen haar in zijn nek kleefden.

Bij het betreden van het klaslokaal trof hij een vreemde jongen aan, naast de directrice, die vooraan op het verhoog stond te wachten tot alle kinderen van het derde leerjaar op hun stoel hadden plaatsgenomen. Jimmy zocht oogcontact met de jongen, wat niet lukte. Aan de manier waarop hij daar stond, kon je zien dat hij de taal niet sprak. Hij droeg een te korte jeansbroek met een donkere, glimmende wassing, alsof hij op zijn knieën door gesmolten kaarsvet was gekropen. Zijn haar was lang, krullend en in een staartje samengebonden. Hij was sprietig en zeker een kop groter dan Jimmy, maar daar hoefde je niet zo veel moeite voor te doen.

'Dit is Tristan,' zei directrice Virginie, nadat ze de hele klas tot stilte had gemaand. 'Tristan Abrahama.' (Zo zei ze het, zonder verpinken, pas later zou Tristan anderen durven te corrigeren. 'Ibrahimi, met de i van vis!') Hij was elf jaar, kwam uit Kosovo en had een moeilijke tijd achter de rug. Hij was he-le-maal te voet naar België gekomen met zijn ouders en zijn zussen en broertjes, ze hadden erge dingen gezien, daarom kreeg het derde leerjaar de taak goed voor hem te zorgen. Tristans twaalfjarige zus Jetmira was ook aan deze school toegewezen, zij zou in het vierde leerjaar instappen.

De directrice leidde Tristan de klas in. Bij elke stap waarmee ze zijn bank naderde, ging er een zwaarder geladen stoot van blijdschap door Jimmy heen. Ze bleven uiteindelijk recht voor de lege plek naast Jimmy staan.

'Sluis, onze hoogsteigen Einstein, ga jij een oogje in het zeil houden zodat Tristan zich hier thuis voelt?'

Eindelijk, dacht Jimmy, eindelijk leverde het feit dat hij niet bij een kliekje hoorde hem eens iets op. 'Tristan, zorg jij ook maar goed voor Jimmy, ook hij heeft een moeilijke tijd,' zei ze tegen Tristan, terwijl ze vooral oogcontact met Jimmy maakte.

Tristan schudde Jimmy de hand, zo slap dat ze tussen hun samengedrukte palmen een insect hadden kunnen overzetten zonder dat het schade zou hebben opgelopen.

Er was een deeltijdse zorgleerkracht op school, die extra oefeningen Nederlands kwam maken met Tristan en zijn zus, een lesuur per dag. Alle andere uren nam Jimmy Tristan onder zijn hoede. Jimmy, die zich meestal verveelde in de lessen, die cijfers ver boven de mediaan haalde, speelde de boodschapper, bracht alles wat de juffrouw aan de klas uitlegde zo goed mogelijk over aan Tristan, zodat Tristans onwetendheid de klas niet zou ophouden. Aan deze opdracht waren ook privileges verbonden: Jimmy en

Tristan waren de enigen die tijdens de les mochten tekenen, fezelen en briefjes uitwisselen.

De eerste weken communiceerden ze vooral in gebaren en speelden ze Pictionary om informatie te delen. Tristan was leergierig, wees soms met twee handen tegelijk dingen aan waarvoor Jimmy hem het Nederlandse woord moest aanleren. Jimmy's kladblok stond propvol schetsen, letters en pijlen.

Behalve de taal was er nog van alles wat Tristan moest weten als hij aan Jimmy's zijde in België wilde kunnen blijven. Bijvoorbeeld dat er bij het invullen van een toets altijd een klavertjevier op de bovenhoek van je lessenaar moest liggen – Jimmy had er voor Tristan ook eentje gezocht, gedroogd tussen de pagina's van de *Gouden Gids* en daarna zo netjes mogelijk geplastificeerd. Of dat je uit de pen die hij Tristan gegeven had zowel een blauwe als een groene als een zwarte als een rode vulling tevoorschijn kon klikken, maar dat het verboden was om rood te gebruiken, die kleur was uitsluitend voor de juf. Of hoe je een dinosauruskoek diende te eten: bij het openen van het pakje eerst de drie monsters uitschakelen – hun koppen eraf – en daarna pas de rest oppeuzelen. Dat God niet bestond, maar dat als je iets kwijt was, je wel kon vragen aan de Heilige Antonius of die je kon helpen zoeken, maar ook niet te vaak, Antonius stond er alleen voor en je was vast niet de enige die een beroep op hem deed. Dat je voor de middagpauze jetons voor thee kon aankopen bij de juf en dat als je aan allebei de toezichters in de refter om suiker vroeg, je in totaal vier suikerklontjes kon loskrijgen, die je een voor een op je tong kon laten smelten.

Alles wat Jimmy die eerste weken vreesde, dat ze in de klas van elkaar gescheiden zouden worden of dat Tristan bij iemand anders zou willen aansluiten, bleek ongegrond: de juf garandeerde hem dat ze de rest van het schooljaar hun plaatsen naast elkaar zouden behouden – hun werd alleen opgedragen van kant te wisselen, omdat Tristan slechthorend bleek te zijn aan zijn rechteroor.

Als Jimmy niet uitkeek liep hij de hele tijd met een brede grijns om zijn lippen rond, een grijns die hij toch maar probeerde te onderdrukken, omdat de pestkoppen uit het vijfde en zesde leerjaar niet mochten doorkrijgen dat hij, Sluis streefluis, Sluisje strontmuisje, eindelijk eens geluk had. Ze zouden het meteen komen stukmaken, zoals ze zijn glimlachende hoofd op de grote schoolfoto op het prikbord in de gang door een punaise hadden vervangen.

De juf had Tristan, toen hij zich na een maand of twee met behulp van steekwoorden kon uitdrukken, in een speciaal aan hem gewijde aardrijkskundeles met de aanwijsstok op de kaart laten aanduiden waar hij precies vandaan kwam en welke weg hij had afgelegd – van het noordwesten van Kosovo, door het nationale park naar Montenegro, Albanië, de Adriatische Zee over naar de hak van de schoen van Italië. Ze hadden dagen door de bergen gezworven met amper voedsel, de kleinste kinderen van het gezin werden door de grotere meegetorst. Kosovo lag in vogelvlucht zo'n tweeduizend kilometer van België, maar zij waren geen vogels, ze hadden grensposten moeten passeren, twee keer keerde zijn aanwijsstok vanuit Italië via land naar Albanië terug, twee keer waren ze na de levensgevaarlijke zeeoversteek op een bus terug naar Albanië gezet. De derde keer was het hun gelukt, al waren ze een halve kilometer voor de kust uit de boot geduwd. Ze waren geen vissen, een kind van een gezin waarmee ze het bootje deelden, had het vasteland niet gehaald.

De kaart had een schaal van één op zes miljoen, Jimmy rekende uit hoeveel meters Tristan had moeten wandelen om hier te komen. Het was een wonder dat hij nog twee voeten had, dat die niet tot boven zijn enkels waren afgesleten.

De juf had de tocht aangeduid met plakstrookjes die de rest van het schooljaar op de kaart bleven hangen. Bij het zien van die uitgestippelde, kronkelende route en de hoeveelheid andere richtingen die overbleven, overviel Jimmy elke keer een gevoel van opluchting. Tristan had overal kunnen belanden, in alle landen ter wereld, in alle dorpen, alle scholen, alle klassen, maar hij was juist in België, in Bovenmeer, in de gemeentelijke basisschool, in klas drie, hier naast hem beland. Jimmy was op het nippertje ontsnapt aan een leven zonder Tristan. De kans dat Tristan zijn vriend werd, was nog kleiner geweest dan de kans dat iemand uit Jimmy's familie in de Smith's-fabriek werkte, met kerst een van de tiendelige limited edition-setjes had ontvangen en die aan hem zou hebben geschonken. Met dezelfde zorgzaamheid als die waarmee Jimmy met zo'n zeldzame serie zou omspringen, zou hij nu met Tristan omgaan. Hij zou zijn kersverse vriend tegen niets inruilen.

Dat de hele klas die vluchtroute nu kon zien, vond Jimmy vervelend, net zoals hij het vervelend vond dat die zorgleerkracht Tristan elke ochtend een uur uit de klas weg kwam stelen. Tristan uitlenen aan anderen vond hij even lastig als anderen aan zijn ijsje laten likken.

Gelukkig had Jimmy nog altijd zijn spaargeld. Dat werd elke zondag aangevuld met vijfenzeventig frank, waarvan hij altijd vijftien frank op zak droeg wanneer hij op ronde ging, voor het geval hij zonder buit huiswaarts moest; genoeg voor een zakje Smith's. Zonder zakje geen ritueel.

Hij stapte binnen bij 't Winkeliertje, de enige superette van Bovenmeer. De uitbaatster wist inmiddels hoe nauw het stak, dat chips kopen tegenwoordig even serieus werd genomen als kansspelen en dat Jimmy er, net als de andere kinderen uit het dorp, op stond zijn zakje zelf uit te kiezen. Toen de flippo-rage losbarstte kon ze niet anders dan haar winkel herschikken, het chipsrayon uitbreiden en verplaatsen naar de plek waar vroeger de ontbijtspullen lagen. De ontbijtgranen belandden achter de toonbank bij de sigaretten. Aan de inkomdeur had ze een blad met richtlijnen gehangen: CHIPS OPENEN IS GELIJK AAN CHIPS BETALEN en DICHTGENIETE ZAKJES CHIPS WORDEN NIET GERUILD TEGEN NIEUWE. Sinds het begin van de zomervakantie stond er, omdat de winkeldame de discussies beu was, op de toonbank een rieten mandje met flippo's zodat teleurgestelde klanten hun dubbele exemplaren konden omwisselen. Zelf had Jimmy daar nooit gebruik van gemaakt, om dezelfde reden dat hij ook nooit naar ruilbeurzen zou gaan – die werden georganiseerd voor eerloze mensen, voor valsspelers die een stuk van het parcours afsneden en toch gewoon met de rest wilden finishen. Trouwens, de ruilbeurzen vonden altijd plaats op locaties waar je alleen maar kon komen als je ouders je wilden vervoeren.

Jimmy reikte naar het zakje waar zijn buikgevoel hem op afstuurde, het zakje dat de indruk wekte dat het hém koos in plaats van omgekeerd, het zakje waarvan hij zou zweren dat het iets tegen hem fluisterde, dat ook een beetje naar hem toe boog, maar vlak voor hij het vastgreep, op het allerlaatste moment, week hij toch van zijn baan af en nam een willekeurig, belofteloos, zwijgzaam zakje. Op deze manier omzeilde hij het lot, kreeg hij iets wat eigenlijk niet voor hem bedoeld was. Hij wist zeker dat wat in de eerste plaats niet voor hem bestemd was meer geluk bracht.

Jimmy's ouderlijk huis was de enige moderne woning in het dorp. Met zijn puntige voorsteven en de vele ronde raampjes had het ontwerp iets van een schip, alsof het hier ooit via een vaargeul was binnengekomen en toen, tezamen met die hele waterloop, versteend was.

Jimmy schaamde zich voor de vorm van het huis in combinatie met zijn achternaam, hij liep zoals altijd haastig de oprit over.

Alle bewoonbare oppervlakte bevond zich op het gelijkvloers, niet enkel de leefruimtes maar ook het voormalige verzekeringskantoor van Jimmy's vader, een grote aanbouw die sinds de scheiding ontruimd was en waarvan alle inboedel verkocht was. Het enige wat daar nog stond waren de voederbakken en manden van Kwik en Flupke, de twee teckeltjes die zijn moeder recent in huis had genomen.

Er klonk geen gekef in huis, geen gekras van nageltjes op de tegelvloer. Zijn moeder was vast met de hondjes op pad.

Jimmy was zo overdonderd geweest door het plotse logeerverzoek dat hij tijdens het telefoongesprek met Tristan deze ochtend niet eens gevraagd had of hij zijn eigen lakens moest meenemen en of er nog iets nodig was voor Tristans plan.

Hij kende Tristans nummer uit het hoofd, hij wist ook precies hoe de cijfers klonken als ze werden ingegeven in de draaischijf. Kort kort, kort lang kort, kort lang, lang lang – het eindigde op drie negens.

Tristan nam zelf op. Jimmy hoefde helemaal niets mee te brengen. 'We hebben alles.' En na een pauze: 'Jimmy, we mogen niet blijven.'

'Hoezo, jullie mogen niet blijven?' Jimmy had zijn wijsvinger net in het gekrulde snoer van de telefoon gewikkeld, een verbandje aangebracht van zacht rubber, dat hij meteen losrukte.

'We hebben deze 's morgens een uitwijzingsbrief gehad.'

'Deze morgen.'

Dat verklaarde waarom Tristan vandaag, op een woensdagochtend in de grote zomervakantie, thuis was. Normaal gezien volgde Tristan tijdens de schoolvakantie zwemles op dit tijdstip, net als op maandag- en zaterdagochtenden. Daar zorgde meneer Pieters eigenhandig voor, die Tristan in de vakanties drie keer per week naar het zwembad van Pulderbos bracht, nadat hij had gehoord wat Tristan op zeeklassen was overkomen.

'Ja, deze morgen. Alleen Paola mag blijven.' Meer wilde Tristan er door de telefoon niet over zeggen. 'Maar we hebben dus wel een plan bedacht. Zie je het nog steeds zitten om te komen slapen?'

'Natuurlijk,' zei Jimmy. Hij was zo geschrokken van dit nieuws dat hij zou kunnen huilen, maar de kalme, zekere toon waarmee Tristan over zijn plan sprak, weerhield hem daarvan.

'Doe geen te zware schoenen aan. Tot zo, veertien uur.'

Jimmy knikte. Zijn schoolrapport lag al twee weken klaar naast de telefoon, voor wanneer zijn vader zou bellen. Het was zijn beste rapport ooit, zevenennegentig procent in totaal. Dat kwam door Tristan.

Jimmy zag zijn moeder met de hondjes de oprit op komen, hij snelde naar zijn kamer. De deurklink blokkeerde hij met een keerborstel. Hij zette zijn schoenen naast elkaar onder het bed en ging aan zijn bureau zitten. Dit was, alles in beschouwing genomen, het allerleukste deel van zijn beroep. Nu was hij helemaal alleen, niemand wist wat hij hier uitvoerde, dus niemand kon hem dwarsbomen.

Normaal gezien spendeerde Jimmy hier alleen de uren die Tristan in het zwembad doorbracht, uren waarop hij toch niets beters te doen had, maar nu Tristan gewoon thuiszat met het nieuws van de uitwijzing, voelde Jimmy de neiging zich te haasten. Hij wilde Tristan te hulp schieten, eigenlijk wilde hij alle tijd die hun nog restte samen doorbrengen. Het laatste waar hij vandaag zin in had, was iets doen waarvan Tristan niet op de hoogte was.

Hij haalde een paar keer diep adem. Haast was nooit goed, het was na oneerlijkheid de grootste valkuil voor een verzamelaar.

Jimmy opende de lade waarop het cijferslot zat, haalde

er een gele satijnen das uit die hij een jaar geleden uit zijn vaders doos met kleren ter donatie had gevist. Het knopen had hij nog steeds niet onder de knie, maar hij kon iets doen wat ervoor doorging. Aan de brede slip bevestigde hij de speld, een beschilderd strookje van tetraplastic dat hij met secondelijm had vastgeplakt aan het ijzeren klemmetje van een Parker, J.S., FLIPPO VERZAMELAAR. En zo werd de slaapkamer met het Turtles-behang een kantoor, een plaats waar serieuze dingen gebeurden, zoals de lege kamer beneden een succesvol verzekeringskantoor was geworden toen zijn vader er een whiteboard had opgehangen.

Jimmy had Tristan nog niet verteld over het bestaan van J.S. Het leek hem aannemelijk dat wie recent zijn hele hebben en houden had moeten achterlaten, niet meteen zin had in het bemachtigen van zo veel mogelijk plastic schijfjes van enkele centimeters doorsnede. Hij wachtte geduldig tot hij tekenen kreeg die erop wezen dat Tristan interesse kreeg in verzamelen. Al die tijd had hij voor zijn vriend extra mappen bijgehouden. Tristan zou, als hij er eenmaal klaar voor was, zonder moeite kunnen instappen.

Jimmy ademde een paar keer diep in en uit, zodat zijn handen niet meer trilden.

Eerst moest hij drie keer hardop dezelfde wens uitspreken aan de Heilige Antonius. Normaal gezien kon je Antonius alleen aanspreken over bezittingen die je wilde terugvinden, maar Jimmy was erachter gekomen dat Antonius op rustige dagen ook weleens wilde helpen bij het verkrijgen van dingen die nog in je bezit moesten komen.

Heilige Antonius, een broertje of zusje kon er niet vanaf, maar maak dan alstublieft mijn verzameling af.

Natuurlijk had hij zich afgevraagd of dit wel eerlijk was, of dit geen te duidelijke chantage was en of het dan niet averechts werkte, maar de kans was groot dat heiligen zelf vergaten welk kind ze welke dingen hadden gegeven in het verleden, en het kon dus geen kwaad te benadrukken dat hij eerder over het hoofd was gezien.

Na het bidden nam Jimmy uit een vergrendelde lade zijn vier mappen, twee voor zijn eigen verzameling en twee voor Tristans verzameling, en legde ze netjes evenwijdig naast elkaar op het tafelblad, met de hoeken ter hoogte van de zestien kruisjes die hij met potlood had uitgetekend. Op het lege vlak dat in het midden overbleef, stalde hij zijn attributen uit: een rol keukenpapier, een dubbelgevouwen wit blad, een busje brillenpoets, een plastic handschoen, een schaar en een pincet. Hij trok de handschoen aan, die glom van het oranje bakvet, en maakte het chipszakje open zonder dat het ergens scheurde.

Het uitschudden van de inhoud van het zakje op het voorgevouwen blad ging met de meeste spanning gepaard, het moment waarop alles nog mogelijk was.

Hij had al veel. Zijn flippo- en zijn Mega-flippo-serie waren op enkele exemplaren na volledig, zijn Flying-serie miste nog vier stuks, zijn Techno nog zeven stuks, zijn World-serie miste er ook nog vier, zijn Olympic- en Cheetos 24 game-serie waren op respectievelijk zes en vijf flippo's na compleet. De Time-serie en de pop-up Griezels, daar had hij nog het minst van. Die laatste series, die in totaal maar uit veertig stuks bestonden, bleven het moeilijkst om te pakken te krijgen. Van de 295 verschillende flippo's had Jimmy er nu 253 in zijn eigen album en 195 in Tristans album. In totaal bezat hij er bijna vijfhonderd, want hij had sommige ook driedubbel. Hij kende zijn verzameling beter dan wat dan ook, ze zat zo vanzelfsprekend in zijn hoofd als de tafel van één, hij kon van voren naar achteren en van achteren naar voren opsommen hoeveel stuks hij van welke flippo bezat, hij kende alle weetjes die vermeld stonden op de schutbladen in map 2, hij had zichzelf zo lang overhoord totdat hij bij elk cijfer tussen 1 en 295 de flippo blindelings kon beschrijven. Het leukste om uit het hoofd te leren was de World-serie, de

beroemde personen uit de geschiedenis. Wanneer hij niet kon slapen bladerde hij in bed door zijn albums om alles te bestuderen.

Hij hoopte op een World-flippo, in het bijzonder nummer 233, Elmer Fudd als Vincent van Gogh. Die had hij nog nooit in het echt gezien, maar de voorgedrukte afbeelding was veelbelovend. Het zou een klein beetje goedmaken dat die vrouw zijn vijfduizend frank had afgepakt. Hij schudde het zakje zachtjes. Hij kon het in zijn buik voelen, alsof daar alle mogelijkheden door één nauw gaatje geduwd werden, om uit te monden in één werkelijke uitkomst.

Hij zag het meteen, aan de vierkleurige achterzijde, het was een Olympic-flippo, nummer 244. Tweety, zes punten waard. Niet slecht, maar deze had hij al in zijn eigen verzameling. Voor Tristan was dit wel fantastisch nieuws, want in zijn map ontbrak dit exemplaar nog.

Voor hij de flippo uit de verpakking haalde, goot hij de chips langs de plooi van het blad in de juiste vershoudzak. Hij had een vershoudzak per chipssoort, een voor de Grills, een voor Crispy naturel, een voor Crispy paprika, een voor Cheetos, een voor Drakis, een voor Ringlings, een voor Mama Mia's, enzovoort. De chips bewaarde hij om er later met Tristan prak mee te kunnen maken.

De chipsverpakking, die aan de voorzijde vermeldde dat ze flippo's bevatte, streek hij glad. Daarna plakte hij ze met afneembare tape in schetsboek nummer 10. Onder aan de pagina schreef hij welke flippo's de verpakking had bevat, de datum, en het tijdstip en de locatie van aankoop. Het was een logboek – als hij niet de grootste verzameling kon hebben, dan op z'n minst de meest volledige en gedetailleerde. Hij wist zeker dat niemand anders eraan dacht zo nauwkeurig te werk te gaan, en later, als er wetenschappelijk onderzoek gedaan zou worden naar deze rage, zou hij de meest waardevolle informatiebron zijn.

Jimmy haalde de flippo uit de plastic verpakking. Met een vel keukenpapier maakte hij het schijfje vetvrij, trok de handschoen uit, borg die samen met het blad weer op. Voordat hij de flippo in Tristans map onderbracht, maakte hij de hele ringmap schoon. Alle vettige vingers en stofpluisjes moesten ervan af, daarvoor had hij brillenpoetsvloeistof in een busje en een zelfgeknutseld wissertje, geïnspireerd op de aftrekker die de poetsvrouw gebruikte om maandelijks de ramen te wassen.

Tristan zou blij zijn met dit exemplaar. Zachtjes schoof hij hem achter het raampje, tot de flippo de voorbeeldafbeelding bedekte. Tevreden bladerde hij door Tristans map. Tristan was zijn achterstand aan het inhalen, en dat was goed, ze mochten niet te ver uit elkaar bewegen.

Hij keek op de klok. Het was echt tijd om te gaan nu.

Nadat hij zijn rugzak had gepakt, griste hij toch Tristans verzameling mee. Je wist nooit hoe snel zo'n uitwijzing kon gaan, wie weet stond de politie vanavond al aan hun deur met een busje. Het was beter de albums te vroeg te delen dan te laat. Bovendien: de mappen meenemen verplichtte hem tot niets.

Jimmy was op de meeste vlakken gewend geraakt aan zijn afwezige vader, alleen bij het vertrekken had hij nog de reflex om langs het kantoor te glippen en gedag te zeggen tegen zijn vader, die daar vroeger altijd zat te telefoneren. Nu was het kantoor op slot en moest hij langs de achterdeur naar buiten, door het hoog opgeschoten gras vol netels. Hij wilde nog gauw de twee hondjes knuffelen, maar die lagen op de schoot van zijn moeder, die in de tuinstoel een tijdschrift zat te lezen. Hij vertelde haar zo luchtig mogelijk over het logeerpartijtje bij de Ibrahimi's.

'Zijn die niet al met genoeg?' zei ze.

Jimmy had zijn moeder nog nooit nee horen zeggen, maar echt ja zei ze ook nooit, elke toestemming kwam in de vorm van een verwijt, waardoor je ofwel afzag van je vraag, ofwel hoe dan ook gewoon je zin deed.

Jimmy nam zijn fiets, haastte zich van de oprit af, langs het donkergroene bord in de voortuin. VERZEKERINGEN SLUIS. VERTREK MET EEN ZEKER GEVOEL had er lange tijd in grote witte letters op gestaan, met een lichtbundel erop gericht, maar die spot was stukgegaan en in de week na zijn vaders vertrek had iemand er VERREK MET EEN ZEKER GEVOEL van gemaakt. Jimmy had het nog weg proberen te krijgen, maar de T was met donkere graffiti overspoten en kwam niet terug tevoorschijn. Bij alle woorden die er later waren bij gekomen – 'oplichter' en 'geld terug!!' – had hij het zelfs niet meer geprobeerd. Hij had zijn moeder al vaak gevraagd of ze het bord konden weghalen, maar zij vond dat Jimmy's vader dat zelf moest komen doen. Hoe langer hij ermee wachtte, hoe meer mensen de waarheid over hem zouden kennen.

Jimmy had algauw de gewoonte gekregen om na school mee te gaan naar Tristans huis, om de achterstand bij te werken die ze in de les hadden opgelopen. Wanneer er in de klas zaken waren die Tristan niet meteen begreep, zette Jimmy een kruisje bij de leerstof of opgave. Hij zorgde ervoor minstens vijf kruisjes te verzamelen, zodat hij na school genoeg redenen had om met Tristan mee te gaan.

De ontvangst bij de Ibrahimi's was vanaf zijn eerste bezoek hartelijk geweest. Lavdi bood hem altijd frisdrank uit tweeliterflessen en schoteltjes met hotelcake aan en als Tristans ouders hem begroetten, deden ze dat met hun handen tegen het hart gedrukt.

Het duurde even voor Jimmy alle tien de gezinsleden had ontmoet en toen moest hij hun namen nog leren onthouden. Om hem daarbij te helpen hadden de kinderen na enkele weken in het midden van de kamer een rij gevormd van jong naar oud. Tristan was de middelste. Jimmy kon de volgorde altijd weer oproepen, en om hun leeftijden te weten moest hij gewoon tellen. Links van Tristan stonden zijn drie oudere zussen, Lavdi, Svetlana en Jetmira. Rechts van Tristan stonden zijn drie jongere broers, Naim en de tweeling Riad en Defrim. In de armen van Tristan: de pasgeboren Paola. De kinderen waren verdeeld over scholen in de omliggende gemeentes. Tristan en Jetmira waren de enigen die in Bovenmeer op school waren beland.

Als Jimmy Tristan lesgaf, kwam iedereen die op dat moment thuis was erbij zitten, rond de grote livingtafel. Ze onderbraken hem nooit en Jimmy genoot van zijn plek aan het hoofd van de tafel, van al die grote ogen die hem aandachtig aankeken, van de getuigen die zagen hoe de vriendschap tussen hem en Tristan zich verdiepte.

's Avonds, nadat hij met zijn moeder thuis had gegeten, ging zijn werk verder. Hij stelde woordenlijsten samen met begrippen die de Ibrahimi's nodig hadden in het dagelijks leven, voegde soms woorden toe die zij nodig hadden om hém te begrijpen, en voor Tristan smokkelde hij het vakjargon voor Eerlijke Vinders in zijn woordenschat, zoals de namen van de Looney Tunes-figuren die een eigen flippo hadden. Hij verzon raadsels, ontwierp kruiswoordpuzzels en rebussen, maakte voor elk kind persoonlijke oefenblaadjes waarop hij afbeeldingen uit catalogussen en tijdschriften plakte, met stippellijntjes eronder, waarop zij de woorden konden noteren. Hij maakte met zijn cassetterecorder opnames, zinnen nadrukkelijk uitsprekend, en leende het gezin zijn walkman uit, zodat ze er in zijn afwezigheid naar konden luisteren. Hij verbeterde alles wat ze invulden, drukte daarvoor bij uitzondering de rode knop van zijn vierkleurenpen in. Met de Cheetos 24 game-flippo's deden ze telspelletjes. Tristan was heel goed in rekenen, in Kosovo was hij daarin de beste van de klas geweest. Hij wilde rechter worden, zei hij, of astronaut.

Het gezin was halverwege het schooljaar gearriveerd,

dus Tristan had de toetsen die de andere leerlingen van het derde voor de zomervakantie moesten maken, mogen uitstellen tot na de vakantie. Vorige zomer hadden ze elke dag vijftig nieuwe woorden geoefend. Ze maakten lange fietstochten tussen de weilanden, waarbij ze woorden herhaalden die ze eerder die week hadden behandeld. Ze speelden 'dierenketting' of 'ik zie, ik zie wat jij niet ziet'. Jimmy had een hele reeks oefentoetsen opgesteld, die met steeds minder fouten werden ingevuld. Ook had hij een brief naar de juffrouw geschreven, om te zeggen dat als Tristan niet overging naar het vierde, hij zelf ook zou weigeren over te gaan – ze konden hem niet dwingen. Tristan had uiteindelijk zonder problemen naar het volgende leerjaar gemogen.

De nare details over de oorlog en welke moeilijke dingen Tristan voor zijn aankomst in België allemaal had meegemaakt, kwamen pas laat en in kleine beetjes naar buiten. Jimmy had een boekje gemaakt, getiteld *Tristans oorlog*, waarin hij opschreef wat hij erover te weten kwam, zo chronologisch mogelijk. Hij probeerde er niet naar te vissen, hij wilde geen sensatie, dat strookte niet met zijn beroep van Eerlijke Vinder.

In het dorp deden schokkende geruchten de ronde over wat het gezin had moeten doorstaan, maar waar deze verhalen vandaan kwamen, en of ze waar waren, wist niemand zeker.

Enkel de feiten die Jimmy van Tristan had gehoord, of met eigen ogen zag, had hij genoteerd: de oorlog was tien jaar geleden al begonnen, toen Serviërs de fabriek overnamen waar Tristans vader zijn hele leven had gewerkt en er alle Albanezen ontsloegen. Het was hun verboden lessen te volgen in hun eigen taal, het Albanese volkslied te zingen of de Albanese vlag uit te hangen. Tristans moeder had, toen ze in verwachting was van Tristan, bloedingen gekregen, maar was in een staatsziekenhuis hulp geweigerd, ze was zelfs onder druk gezet een abortus uit te voeren, omdat er geen Albanese soldaten ter wereld mochten komen.

Tristan praatte erover met verontwaardiging, alsof hij zich nog steeds afvroeg waar alle hulp bleef.

De naam Milošević viel bijna dagelijks en daarbij flakkerde altijd de meeste woede op – deze man had altijd maar meer en meer en meer en meer willen hebben.

De Ibrahimi's hadden eerst twee maanden bij de paters in de abdij van Zandhoven geschuild. Daar hadden ze samen in dezelfde ruimte geslapen, ook al waren er genoeg kamers. Toen ze fysiek aangesterkt waren van hun lange tocht, had het OCMW voor hen een woning gezocht die groot genoeg was voor een gezin van tien. Het huis van nonkel Kurt stond al jaren leeg en kon voor een schappelijk bedrag worden gehuurd.

De kinderen moesten voor zonsondergang binnen zijn, hartje winter arriveerden ze weleens te laat op school omdat ze pas mochten vertrekken als het buiten licht was. Ze kregen het doodsbenauwd bij het zien van mensen in uniform; een paar keer waren ze op de vlucht geslagen toen de postbode had aangebeld.

Tristans vader had littekens van snijwonden op zijn handen en gezicht, opgelopen toen hij zijn oudste dochters had moeten beschermen tegen mensensmokkelaars. Tristans moeder was zeven maanden zwanger geweest tijdens de vlucht. Ze was bevallen in het asielcentrum en had haar dochter Paola genoemd, uit dank voor de goede zorg die ze had gekregen. De Belgische koningin was hierover geïnformeerd en had een bedankje gezonden, dat prominent in een kader op de schoorsteenmantel stond.

Meestal praatte Tristan niet over hun eigen tocht, maar vertelde hij verhalen die hij had gehoord van andere vluchtelingen in het asielcentrum waar ze enkele weken hadden gezeten. Hij vertelde ze aan Jimmy alsof ze hem zelf hadden kunnen overkomen, wat misschien ook zo was. Wat maakte het uit of de Ibrahimi's zelf ook mensen overboord geduwd hadden zien worden bij hun overtocht op zee, of ze door orgaandieven bedreigd waren, of ze in Parijse metrohaltes hadden geslapen, of ze hadden moeten toekijken hoe Servische soldaten de buik van een hoogzwangere vrouw opensneden, waarna de foetus in een pan gebakken werd en aan de overgebleven familie gevoederd. Ook aan de griezelverhalen waaraan ze zelf ontsnapt waren, waren ze toch niet echt ontsnapt, omdat hun geluk ten koste was gegaan van dat van anderen.

Jetmira, die in het vierde maar moeilijk haar draai vond, zat tijdens de middagpauze vaak in stilte te kijken naar het eten dat zich rond haar brooddoos verzamelde, de Babybels en de partjes smeerkaas en letterkoekjes die moeders van andere kinderen 'voor de Kosovaarse klasgenootjes' in de brooddozen hadden gestoken. Soms vluchtte ze naar de toiletten en dan liep Tristan achter haar aan om haar te troosten. Jimmy liep op zijn beurt achter Tristan aan, waarna ze zwijgend in de toiletten wachtten tot 'de aardbeving vanbinnen', zoals Jetmira het noemde, voorbij was. Later had Tristan hem verteld dat zijn zus die aardbevingen thuis ook had en dat er af en toe een buurvrouw, die verpleegster was, bij hen langskwam om daarover te praten.

Van Tristans aardbevingen was Jimmy voor het eerst getuige op zeeklassen, vlak voor hun eerste zomervakantie in België, toen Tristan in shock reageerde bij het zien van golven. Op enkele tientallen meters van de branding was hij stilgevallen, zijn benen en armen geblokkeerd midden in de beweging, alsof gauwdieven zijn gewrichten hadden gestolen. Een paar seconden later had hij in zijn broek geplast.

Jimmy, die met Tristan en een leerkracht naar de uitvalsbasis op de zeedijk terugkeerde om hem de droge onderbroek uit zijn extrazakje te lenen, keek toe hoe Tristan zich omkleedde, met een lichaam dat veel kleiner leek dan voorheen. De deur naar Tristans verleden stond onbewaakt open, een kleine duw zou volstaan om er recht in te stappen en rustig rond te snuffelen, maar iets weerhield Jimmy ervan. Hij moest wachten tot Tristan hem zou uitnodigen.

Jimmy stemde ermee in om de rest van de week samen met Tristan in de slaapzaal te blijven, met een memoryspel met zeeplaatjes en een stapel boeken, terwijl de rest van de klas ging quizzen en op survivaltocht ging in de duinen. De hele tijd bleef hij op respectabele afstand en toch nabij. Hij kalmeerde Tristan, die bij het minste geluid van meeuwen of bij de passage van schoonmaakpersoneel in dienstenue weer trillerig werd, zonder dat hij vroeg naar nare herinneringen. Niets hiervan had hij opgeschreven in *Tristans oorlog*, hij had het schrift nadien niet meer bovengehaald.

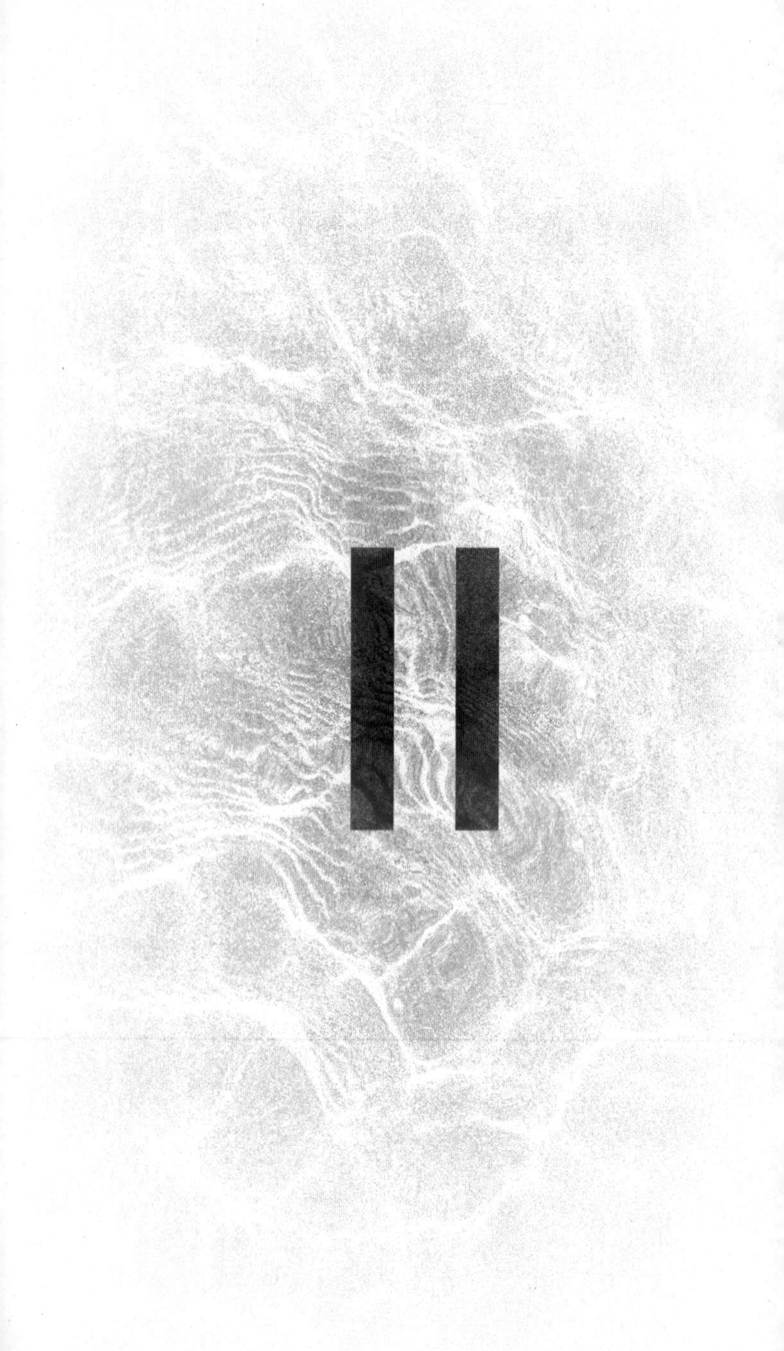
II

Jimmy stalde zijn BMX op de oprit, bij de waterput, naast een rij roestende fietsen, buggy's en de gocart met platte banden. Geschonken door buren toen het nieuws dat de Ibrahimi's alles in hun thuisland hadden moeten achterlaten zich door het dorp had verspreid. Het gemeentelijk containerpark moest anderhalf jaar geleden aan de terugval in binnengebracht grofvuil gemerkt hebben dat mensen hun afdankertjes – matrassen, elektrotoestellen, lakens, speelgoed, boeken, instrumenten, trampolines, babyspullen, gereedschap – liever aan de Ibrahimi's schonken. De naaste buren, die in de voortuin grenzend aan de hunne het teveel aan giften hadden zien ophopen, waren bijgesprongen om alles in goede banen te leiden. Ze hadden een lijst opgehangen met spullen waar behoefte aan was, en toen vrijwel elke regel afgevinkt was, hadden ze in naam van de Kosovaren een bord in de tuin geplaatst: WIJ HEBBEN ALLES WAT WE NODIG HEBBEN, TOCH BEDANKT IEDEREEN! met daaronder een speciaal aangemaakt rekeningnummer, want van geld kon je met acht kinderen nooit genoeg hebben. Op dit bord had niemand iets onaardigs geschreven.

Ondanks het bord werden nog wekelijks meubels, zakken met lakens en dozen vol speelgoed achtergelaten, van mensen die van heinde en ver hierheen waren gereden en in het verlangen een goede daad te stellen niet bereid waren hun offer weer in te slikken.

Jimmy liep rechtstreeks door naar achteren, langs de koterijen. Dit was ook nog allemaal eigendom van Kurt, die huurgeld van het OCMW ontving zolang hij het woonhuis op deze lap grond aan het gezin beschikbaar stelde. De achterliggende schuren gebruikte hij voor eigen opslag en zijn handel in tweedehandsauto's. Nonkel Kurt (Tristan noemde alle buren die hem hielpen nonkel of tante) droeg sjofele kleding en had iets weg van Wile E. Coyote op flippo 204, vijf punten. Uit de manier waarop Kurt Jimmy behandelde, leidde hij met vrij grote zekerheid af dat zijn vader

Kurt nog geld moest terugbetalen. Soms, als Jimmy op het erf liep en Kurt aan de zijlijn met klanten stond te konkelfoezen, maakte hij zich uit de voeten, uit schrik dat Kurt ook hem zou verkopen om zijn geleden verlies te dempen.

Jimmy opende de poort van Klein Kosovo, zoals de schuur in het dorp genoemd werd.

'Triiis-tan?'

Klein Kosovo mat van voren naar achteren iets meer dan honderd grote stappen, van links naar rechts kreeg je er dertig meter in. De ruimte had ooit gediend als koeienstal, wat je nog steeds kon zien aan de ingemetselde voederbakken. Nu was deze drieduizend vierkante meter volgestouwd met spullen waarin Kurt ook nog handel dreef – trouwjurken en kostuums, djembés en didgeridoos, industrieel keukenmateriaal, losgekoppelde toiletpotten, partijen afgeschreven kantoorbenodigdheden, stapels judomatten, oude kassa's, bowlingballen en kegels, een biljarttafel met gescheurd doek, karretjes van draaimolens, kermispistolen, dozen vol intacte krijtpijpjes, opgezette dieren, brommers, een zeeboei, skimateriaal, stationsklokken, een zwembadladdertje, gokmachines, een biertap en dozen vol café-inboedel, een doodskist, afgeschreven chirurgisch operatiemateriaal, metershoge stapels oud papier. Wie binnenstapte in deze schuur hoefde geen spel meer te bedenken. Hier waren hij en Tristan koningen geweest, begrafenisondernemers, kermisuitbaters, piloten, barmannen, journalisten, vijfvoudig olympisch kampioenen, hier hadden ze lijk gespeeld, hadden ze op de rug van een everzwijn gereden, met klappertjespistolen op muggen geschoten en levensreddende operaties uitgevoerd op overrijpe groenten.

'Tristan?' Jimmy maakte het geluid van een uil, ten teken dat de kust veilig was. Op een dag als deze, waarop plannen gesmeed moesten worden, was er geen andere plaats waar Tristan hoorde te zijn. Maar op Jimmy's lokroep kwam geen antwoord.

Het woonhuis had wel een voordeur met bel, maar die gebruikte niemand. Zelfs de postbode kwam langs achteren, de verandadeur stond overdag altijd wijd open. Op de overloop naar de keuken stond een rij van wel dertig paar schoenen in alle maten en soorten – daarmee schrikten ze vast en zeker dieven af.

Jimmy's oog viel op het bruine paar met het groene stiksel rond de zool dat Tristans vader als instapschoenen droeg, maar dat nog van Jimmy's vader geweest was. Zijn moeder had alle kleding die zijn vader had achtergelaten in de container van Spullenhulp gedropt, en ook al werden die zakken naar een sorteercentrum in Lier gebracht en van daaruit verdeeld over de hele streek, een paar van de spullen van Jimmy's vader waren uiteindelijk toch hier terechtgekomen. Jimmy's vader was altijd zuinig geweest op zijn schoenen, hij was er nooit in gestapt zonder de veters los te maken. Telkens als Jimmy die schoenen hier zag staan met die platgetrapte hiel, plooide hij de rand weer netjes recht.

Lavdi, die in de keuken stond, begroette Jimmy bij binnenkomst zo zachtjes dat hij niet verstond of ze nu Nederlands praatte of Albanees. Altijd had ze taakjes te doen. Ze kneedde brood of maakte kaas of legde de laatste hand aan gerechten die Jimmy uit beleefdheid proefde wanneer ze hem werden aangeboden. Haar specialiteit was goulash met vlees en aardappelen of *pasulj*, een bonenbrij – gerechten die hij leuker vond om uit te spreken dan te eten.

Van alle broers en zussen kende hij Lavdi het minst goed. Zij volgde zelden de lessen en deed nooit mee met de taalspelletjes, en dat was jammer, want zij had al borsten, redelijk grote zelfs. Ze bewogen op het ritme waarmee ze brood stond te kneden, de eerste borsten in Jimmy's leven waar hij met belangstelling naar keek en die hij ook weleens zou willen aanraken, om te weten of de jongens van het zesde het serieus meenden wanneer ze beweerden dat een borst moeilijk te onderscheiden is van een met bakbloem gevulde ballon.

Op het vuur stonden de resten van de lunch. Een pan met donker, rafelig vlees, onder een gelig scheel van gestold vet.

'Hallo,' zei Jimmy vanuit de deuropening van de woonkamer. De rolluiken waren half neergelaten, zijn pupillen moesten wennen aan het duister. Hoe vrijgevig iedereen ook was geweest, het meubilair was ouderwets en donker. Zware meubels die erbij stonden alsof ze straf kwamen uitdelen.

De sfeer in de kamer was somberder en serieuzer dan anders. Aan de tafel zaten naast Tristan, Jetmira en hun vader ook twee grote mannen met een beker oploskoffie voor zich. Het waren de twee Albanezen met grote snorren die hier vaker kwamen, en die jaren geleden met hun gezin naar Antwerpen waren verhuisd. Zij brachten de Ibrahimi's op de hoogte van politieke ontwikkelingen, hielpen bij de rompslomp van de asielaanvraag en kwamen met nieuws van het thuisfront. Een van hen was zelfs naar Zwitserland gereisd om in contact te komen met Tristans tante, die daarheen gevlucht was.

In de zetel bij het raam zat Tristans moeder borstvoeding te geven. Aan haar ene borst hing Paola, aan haar andere lurkte Defrim, die een jaar of vijf moest zijn. Ze had een dikke buik en borsten waarvan Jimmy wist dat hij ze niet zou meetellen wanneer ooit iemand op het schoolplein aan hem zou vragen hoeveel borsten hij al in het echt had gezien. Ze bereikten haar middel en haar tepels die op deksels leken, hadden dezelfde vaalbruine kleur als het imitatieleer van de zetel.

Tristan wenkte hem. Jimmy deed zijn rugzak af, nam plaats aan tafel, met de tas op zijn schoot. Lavdi kwam aangesneld en zette een groot glas voor hem neer, dat ze volschonk met River Cola. Het gesprek aan tafel zette zich pas weer voort nadat hij een slok had genomen.

Jimmy haatte het wanneer er bezoek was. Dan verloor Tristan zijn interesse in hem en zat er niets anders op dan stilletjes te wachten tot Tristan hem weer zag staan. Ook vandaag verstond Jimmy geen woord van wat er gezegd werd, maar hij draaide toch zijn hoofd de kant op van wie sprak, alsof hij een bal volgde die rond werd getikt zonder dat iemand hem ook eens een pass gaf. Tristan maakte af en toe een opmerking in zijn moedertaal, die door iedereen werd genegeerd.

In het midden van de tafel lag de officiële uitwijzingsbrief. Die werd met nerveuze, argwanende blikken bekeken, alsof hij elk moment kon ontploffen. Jimmy probeerde de tekst te lezen. In de linkerbovenhoek stond 'Koninkrijk België' en 'Dienst Vreemdelingenzaken'.

Hij zat tegenover Tristan en kon het niet laten goed naar hem te kijken, naar de roofjes op zijn handen, de spierwitte tanden, de sproeten op zijn huid, die grauw was als op een onderbelichte foto, de ovale neusgaten die ietwat openstonden, de neusharen waarin korreltjes kleefden, de bruine ogen onder de brede wenkbrauwen. Hij prentte zich alle details in, zoals hij het deed bij de breintrainers op school, wanneer de juf een prent liet zien die je uit je hoofd zo gedetailleerd mogelijk moest natekenen. Je kon nooit alles onthouden, het ging erom je te focussen op de juiste bijzonderheden.

Tristan bewoog anders dan normaal. Jimmy had het vaker gezien: wanneer Tristan bang was, omdat straaljagers overvlogen of vuurwerk knalde of iemand schreeuwde of wanneer hij uniformen zag, viel hij stil, ging hij haperen, alsof er binnen in zijn lichaam te weinig van hem overbleef om de buitenkant aan te sturen. Het kon lang duren voor hij weer helemaal present was, voor zijn bewegingen weer vloeiden. Een keer was er een verkeersagent op school langsgekomen om in iedere klas de wegregels voor voetgangers en fietsers uit te leggen, en toen hadden ze Tristan voor de veiligheid de hele dag met stripboeken in het bureau van directrice Virginie gezet.

Jimmy had zich erbij moeten neerleggen dat hij alleen de Tristan-van-na-zijn-vlucht kende, de Tristan die niet zeker wist of hij zou mogen blijven, en dat ergens binnen in de Tristan die hij had leren kennen een andere Tristan verscholen zat, een grondiger versie, de Kosovaarse Tristan die een eigen taal sprak, die tien zomers in relatieve vrede in een boerderij nabij de bergen had doorgebracht, die nergens heimwee naar had en nog niets of niemand had moeten achterlaten. Hoe graag Jimmy die Tristan ook wilde kennen, hij kende enkel het buitenste laagje dat eromheen was gegroeid, een dunne groeiring van een andere houtsoort.

Er werd geklopt op het verandaraam. Johan de bibliothecaris kwam binnen. Johan was groot van gestalte en had altijd twee brillen tegelijk op.

Hij had het gezin afgelopen jaar van leesvoer voorzien. Elke vrijdagavond kwam hij met een stapel boeken aanzetten, voor elke leeftijd iets geschikts, en elke avond na zijn werk sprong hij even binnen, met *De Standaard* van die dag, en met kopieën van alle artikelen uit het krantenaanbod van de bibliotheek waarin hij iets over de Kosovo-oorlog had kunnen vinden. Hij legde de stapel boeken neer die hij had meegepakt, schudde de mannen de hand en nam plaats aan de tafel. Boven op de stapel boeken lag een dik pak geprinte flyers, met daarop een foto van het gezin, genomen in de tuin, en daarboven de tekst: DE KOSOVAREN MOETEN BLIJVEN!!!!! Op de foto poseerden alle kinderen op een rijtje, zoals ze zich ook aan Jimmy hadden gepresenteerd. De foto had ook in de *Gazet van Antwerpen* gestaan bij een artikel over hun aankomst.

Deze flyers moesten verspreid worden over het hele dorp, zei Johan, zijn kinderen zouden zich daar vandaag mee bezighouden, alle beetjes hielpen.

Johan bewoog gehaast, hij had niet veel tijd, in de zomervakantie was het altijd druk in de bib, hij was tijdens de middagpauze even weggeglipt onder het mom van een noodgeval, wat dit in feite ook was. Met Johan praatten de

Albanese mannen zelf ook Nederlands, dat hoorde Jimmy ze zelden doen. Een van hen vertaalde alles wat Johan zei voor Tristans vader.

'Waar is de betreffende brief?' vroeg Johan. Hij wisselde alvast van bril. Die op het hoofd mocht op de ogen, die op de ogen bengelde nu aan het koordje rond zijn nek.

Tristan schoot recht en gaf de brief door, zoals je een vod zou doorgeven waarmee net iets vies was opgeveegd.

Alle blikken waren op de bibliothecaris gericht, de sfeer in de kamer werd weer wat dunner, alsof de kans bestond dat dit alles een misverstand zou blijken te zijn.

Jimmy nam een serieuze slok van zijn cola, en nog een, om zijn nervositeit te drukken. River Cola was zoeter dan de cola die ze thuis dronken. Hij zag de rivier voor zich, een donkere, plakkerige stroom, waar hij Tristan mee naartoe zou nemen en waar Tristan hem met gemak in zou leren zwemmen. Door het suikergehalte was het onmogelijk te zinken, je hoefde niets te doen om te drijven, en in het midden van deze colarivier dreef een vlot, niet van schuimrubber zoals in het gemeentelijk zwembad, maar een rode, zure snoepmat.

Johan schudde zijn hoofd. 'Ja, het staat er inderdaad, de aanvraag tot asiel is afgewezen. Alle familieleden moeten terug naar hun land van afkomst, behalve Paola, die is hier geboren, die kan wel de Belgische nationaliteit krijgen.' Wel was dit niet de eerste kennisgeving. Het leek erop dat Tristans vader het eerste uitwijzingsbevel een tijd geleden op het gemeentehuis had getekend, en dat de toegekende termijn voor vrijwillig vertrek bijna was verlopen – klopte dat? Dat zou in hun nadeel zijn. De kans om in beroep te gaan was al lang gepasseerd. Ze stonden op het randje van gedwongen uitzetting.

Het klopte, bleek na een kort gesprek waarbij de twee snorren druk tolkten. Het vorige bevel was in het Frans geweest, Tristans vader dacht dat hij een arbeidscontract tekende.

Johan, die bij deze bekentenis wel drie keer van bril wisselde, besloot dat hij meteen langs zijn schoonbroer zou fietsen, die was advocaat, ze zouden hem om advies kunnen vragen.

Als Jimmy deze ochtend had geweten dat ze later vandaag nog de beste advocaat van het land nodig zouden hebben, dan had hij de dame aan de bankautomaat haar geld echt niet teruggegeven, dan had hij wel het lef gehad zomaar weg te fietsen.

'Johan, hoeveel uren of dagen hebben we dan nog?' vroeg Tristan, blikken met Jetmira uitwisselend. Jetmira had ros haar, veel sproetjes en een rond hoofd, ze was van alle gezinsleden het meest aangekomen.

Johan keek de snorremansen aan, op zoek naar toestemming om iets verontrustends te mogen delen.

'Tristan,' zei zijn moeder, met daarna iets in het Albanees, schijnbaar een verzoek om zich niet met de volwassenen te mengen, want ze wees naar Jimmy, en vervolgens met dezelfde vinger naar buiten.

Het was prachtig weer geworden, door de gaatjes in de rolluiken viel het licht in strepen naar binnen, alsof er met stukjes zon op hen geschoten werd.

Nu ze niet langer binnen gehoorsafstand waren van de volwassenen durfde Jimmy voor het eerst weer iets te zeggen. 'Oké, je had dus een plan? Vertel!'

Hij liep alvast voor Tristan uit naar de schuur, met grote passen. In de schuur zaten ze uit het zicht van iedereen en daar hadden ze werkelijk alles, zelfs materiaal waarvan ze nog niet wisten dat ze het nodig konden hebben. Ze hadden geen tijd te verliezen. Tristan bleef bij de achterdeur staan, alsof hij op iets wachtte. Jimmy keerde op zijn stappen terug.

'We moeten wachten op Jetmira, die is nog even gaan plassen,' zei Tristan. Hij keek langs Jimmy naar de deur van het buitentoilet.

'Ik had daarnet zelf ook nog een paar ideeën, trouwens,' zei Jimmy.

'Ons plan is sowieso beter,' klonk Jetmira's schelle stem uit het wc-kotje. Er werd doorgespoeld, de stortbak ruiste. Jetmira, die zeker twee koppen groter was dan Jimmy en een kop groter dan Tristan, stapte naar buiten. Ze waste haar handen niet. 'M'n broer heeft het je misschien gezegd aan de telefoon. We hebben een heel goed plan, maar dat kunnen we niet uitvoeren zonder jou.'

In Jimmy's binnenkant knipte een lichtje aan. Ze hadden iets bedacht en daarin een cruciale rol voor hem voorzien, zoals hij zelf in bed ook vaak plannen bedacht waarin Tristan niet kon ontbreken. Zoals de huldiging van de flippoverzameling, die had hij al zeker duizend keer in zijn hoofd overlopen, hij wist precies wat hij zou zeggen bij de overhandiging.

'Zeg maar wat ik kan doen,' zei hij.

'Volg me, Jimmy!' Jetmira ging de twee jongens voor naar de deur van Klein Kosovo. Ze rukte de schuifdeuren open, die aan weerszijden bijna uit hun hengsels vlogen.

Normaal gezien moest Jetmira niet zoveel van Jimmy weten. Zij zat bijna altijd achter in de tuin met Marita, een buurmeisje van haar leeftijd. Ook al waren ze maar met twee, ze konden op zo'n manier tegenover elkaar zitten dat ze toch een gesloten kring vormden. Meestal zaten ze rond een kartonnen cilinder wol te wikkelen om er nadien pompons van te knippen, terwijl ze elkaars hypothetische vragen beantwoordden, zoals welk dier ze zouden willen zijn (Jetmira een condor, had Jimmy eens opgevangen), wat ze later wilden worden (kapster) en in welke frituursnack ze zouden willen veranderen (kaassoufflé). Dat Jetmira Jimmy nu met zijn naam aansprak, was voor het eerst, het was prettig en verontrustend tegelijk.

Ze liepen naar de hoek van de loods die Tristan en Jimmy hadden ingericht met een oude Tigra-lichtreclame, twee poefjes en een klaptafel die gemaakt was van een aan

de muur bevestigd toiletdeksel.

'Oké, Tristan, ons plan.' Jetmira keek haar broer aan op een manier die verraadde dat ze dit gesprek op voorhand hadden geoefend.

Tristan begon stotterend, durfde Jimmy amper aan te kijken. Jetmira nam het gauw weer van hem over: 'We hebben een plan, maar dat is niet ongevaarlijk. Eerst moeten we testen of jij niet zwak bent.'

'Inderdaad,' zei Tristan. 'We moeten zeker weten dat je het aankan.' Zijn zelfverzekerdheid groeide nu hij Jetmira kon bijvallen. 'Daarom hebben we een toets die je eerst moet doen.'

Toetsen, daar was Jimmy goed in.

'Nee, geen toets, een *proef*,' corrigeerde Jetmira haar broer. 'Een toets is met je hoofd, een proef is met je lichaam.'

Of hij daar goed in was, wist Jimmy niet. 'Wat voor proef?' Jetmira stond voortdurend aan Tristans goede oor, waardoor voor Jimmy alleen nog de slechthorende kant overbleef en hij ietsje luider moest praten dan aangenaam was.

Dat zouden ze zo zeggen. Ze moesten eerst alles in gereedheid brengen.

'Zeg het maar als ik iets kan doen,' zei Jimmy. Hij keek toe hoe ze een open plek maakten door spullen naar de zijkant te verschuiven.

Eigenlijk was dit geen schuur of een stal, maar een clubhuis, bedacht hij. Ze maakten plannen en bedachten proeven, precies zoals clubleden deden. En nu, met Jetmira erbij, telde hun club voor het eerst drie leden. Waarom had hij zich dit niet eerder gerealiseerd, dan hadden ze een naam kunnen verzinnen en die in een ijzeren plaatje kunnen laten graveren en op petjes laten drukken, net zoals zijn vader dat met zijn bedrijfsnaam had gedaan. De Papriclub, dat zou een goede clubnaam zijn, die vast en zeker nog niet bestond. Ze zouden heel veel dingen doen, maar bovenal zouden ze eerlijk zijn, ze zouden nooit failliet gaan en er nooit vandoor gaan met andermans geld.

'Je mag anders je zwembroek al gaan aantrekken,' zei Jetmira.

Jimmy schrok. 'Ik kan niet zwemmen. Ik zit nog altijd in het middenbad.'

'Maar je bent niet bang van water, toch?'

Hij was niet bang van water in een fles, of van regen, maar wel van water waarvoor je je diende om te kleden.

'Ik heb geen zwembroek bij me.' Hij begon toch in zijn rugzak te graaien, al wist hij zeker dat daarin geen zwembroek zat.

'We lossen het wel op. Weet je waar onze kleerkast is?' vroeg Jetmira.

Hij knikte.

'Zoek daar maar een zwembroek of een boxershort die past.'

'Oké, maar ik kan niet zwemmen.'

'Dat weet ik nu wel, Jimmy,' zei Jetmira.

Jimmy knikte, verliet de schuur, sloop het donkere woonhuis weer in. Zijn rugzak hield hij bij zich, je wist maar nooit. De snorren waren vertrokken, Tristans ouders waren nergens te bespeuren, de donkere meubels stonden streng te zijn voor niemand. Enkel Lavdi was nog bezig in de keuken. Er hing een kruidige geur die elders zou stinken, maar hier niet.

De kleerkast die Jetmira bedoelde, was geen echte kast, maar een kamer op het gelijkvloers. De deur van deze kamer was uit haar hengsels getild, gelukkig maar, je zou haar anders niet opengeduwd krijgen met alle kleding die zich tot een halve meter hoogte ophoopte op de vloer.

Tristan had Jimmy eens uitgelegd hoe het werkte: het gezin kreeg de kleding binnen in grote plastic zakken van Spullenhulp of andere organisaties. Soms was de inhoud van die zakken op voorhand gesorteerd op maat, maar vaak zat er helemaal geen systeem in en bevatte zo'n zak maar een paar stukken die fatsoenlijk pasten. Tristans moeder probeerde tijdens het uitzoeken per kind een stapel te vormen, maar als Tristan in de ochtend nog een broek nodig had en er geen vond in zijn stapel, kieperde hij gewoon een hele nieuwe zak leeg. De andere kinderen deden dat ook, en zo ontstond er tussen de stapeltjes een steeds groter wordende puinhoop.

Jimmy trok zijn schoenen uit, liep over de voddenhoop heen. In de hoek van de kamer stond een piano, waarop torentjes geplooide was lagen. In de hoogste toren herkende Jimmy een glanzend groen joggingpak van Adidas dat hij Tristan eens had zien dragen. Jimmy paste de broek, maar die was veel te ruim – twee jaar leeftijdsverschil in stofoverschot.

Haastig zocht Jimmy verder. Hij had alleen nog een onderbroek aan en wilde niet dat Jetmira of Lavdi hem zo zou aantreffen. Hij zag een zwembroek die hem wellicht zou passen, maar verstopte die onder de klep van de piano. Hij zou niets aantrekken wat de indruk zou geven dat hij akkoord ging met zwemmen. Hij vond een dunne knieshort met fluostiksels op de naden die hij met trekkoordjes kon aanspannen. Om niet in bloot bovenlijf te moeten verschijnen onder Jetmira's ogen, zocht hij ook iets voor daarboven, een lichtblauw badstoffen T-shirt met losse mouwen en een aangesloten hals. Zijn eigen kleren borg hij op in zijn rugzak.

Hij was hoogstens tien minuten weg geweest. In zijn afwezigheid hadden ze een grote oude badkuip, die ooit als drinkbak voor koeien gebruikt was, naar de open plek gesleept. Jimmy bleef stilstaan toen hij het bad in het oog kreeg. Jetmira en Tristan vulden emmers aan het kraantje in de hoek van de schuur die ze daarna in de kuip uitgoten. Ze gingen zo op in het af- en aanvoeren van water dat ze zijn terugkeer niet hadden opgemerkt. Hoe langer hij stond toe te kijken, hoe moeilijker het werd om alsnog te verschijnen, alsof hij ver moest springen maar geen aanloop had kunnen nemen. Pas toen hij zich voorzichtig omdraaide om weg te glippen, de tuin in, om daar eventjes op de schommel te gaan zitten, merkte Jetmira hem op.

'Amai, eindelijk. We zijn bijna klaar voor de proef.'

Jimmy bewoog naar het bad, keek over de rand, het zat halfvol. 'Ik moet hier toch niet in?'

Jetmira wierp Tristan een blik toe van wat-had-ik-je-gezegd.

'Wat als ik de proef toch niet wil doen?'

'Dan vragen we Marita,' zei ze. 'We hebben een lijst met drie namen. Jij bent de eerste die we hebben gevraagd.' Ze keek schattend naar Jimmy's broek, misschien was het de hare.

'Jij stond helemaal boven aan onze verlangenlijst,' benadrukte Tristan.

'Verlanglijst,' verbeterde Jimmy hem. Als hij dacht aan wat er boven aan zijn verlanglijstje stond, kon hij niet anders dan dit goed nieuws vinden. Als ze dachten dat Marita dit kon – Marita die ook haar zwembrevet op de vijfentwintig meter nog niet had gehaald en die als ze een dier wilde zijn voor een slak koos, 'want dan hoefde ze nergens meer op tijd te komen' –, moest hij dit ook kunnen.

Voor ze verder konden, moesten ze wachten tot hun ouders weg waren, zei Jetmira. Om drie uur zou een buurvrouw hen komen oppikken en met hen naar de ALDI gaan. Ze ging even kijken of de kust al veilig was.

'Waarom mogen ze niet in de buurt zijn?' vroeg Jimmy. Tristan negeerde zijn vraag.

De kuip was inmiddels tot twee derde gevuld, Tristan liep heen en weer met de laatste emmers water. Dat Jimmy van Tristan zelf ook een emmer mocht uitgieten in het bad, maakte hem wat rustiger.

Tristan ging even zitten uitblazen. Jimmy hurkte naast hem.

Nu ze eindelijk met twee in de schuur waren, had hij voor het eerst de kans om de albums af te geven, maar dit was niet hoe hij het voor zich had gezien. De overhandiging van zijn verzameling moest op z'n minst gebeuren wanneer hij zijn eigen kleren droeg, niet deze meisjeskleren, en niet wanneer Jetmira elk moment weer kon binnenvallen.

'Tristan,' probeerde hij voorzichtig, 'wat denk je ervan als we een club beginnen? En dan is dit ons clubhuis. De Papriclub.'

Tristan knikte afwezig.

Normaal gezien waren ze precies gelijk aan elkaar, maar nu Jetmira zich met hen had bemoeid, was er tussen hen plots een verschil ontstaan. Jetmira had Tristan groter gemaakt, terwijl Jimmy alleen maar kleiner was geworden.

Jimmy kwam recht, keek nog eens over de rand van het bad. Er was maar heel weinig water nodig om te verdrinken.

'Tristan, het is toch niet met kopje-onder?'

Tristan schudde nee.

'Tristan, je weet wat het nummer van de ambulance is, toch?'

'Ja.'

'Honderd, het is makkelijk te onthouden. En het is ook gratis om ernaar te bellen.'

Hij ging zitten, naast Tristan, op een omgekeerde emmer. Nu zaten ze al helemaal in de wachtkamer van iets vreselijks.

Eergisteren waren ze nog druk bezig geweest met de bouw van Guinea Land, het avonturenpark voor de twee cavia's van de tweeling dat bestond uit aan elkaar geplakte pvc-buizen. Het netwerk van doormidden gezaagde buizen lag in de hoek van de schuur. Het liefst zou hij daarmee verder gaan.

'We gaan Guinea Land toch nog wel afmaken?'

'Als we mogen blijven wel, ja.'

'Jullie gaan me toch geen pijn doen, hè?' vroeg Jimmy zacht.

Voor Tristan kon antwoorden, was Jetmira alweer terug met een draagtas die ze geheimzinnig omhooghield.

'Heb je genoeg kunnen vinden?' vroeg Tristan.

Jetmira toonde de inhoud aan Tristan. Het enige wat Jimmy zag, was de zak erwtjes die bovenop lag.

'Ik ga het water niet in als jullie niet zeggen wat jullie van plan zijn,' zei Jimmy.

'Over het plan kunnen we je nog niets vertellen, want eerst moet je deze proef doen,' zei Tristan. De proef was simpel, Jimmy moest zo lang mogelijk in dit water blijven zitten. Hij mocht zijn gezicht boven water houden.

En dat was alles? Hij moest niet met zijn mond of ogen onder water? En zij bleven erbij staan?

Dat was alles. Zij bleven erbij. Het water zouden ze nog iets kouder maken als hij er eenmaal in zat.

'*Easy-peasy*,' zei Jimmy, door de opluchting een beetje overmoedig.

Jetmira gebaarde dat hij mocht beginnen.

Jimmy stapte over de rand van de kuip terwijl ze toekeken. Hij hurkte.

Hij was wel al eens nat geweest met kleren aan, maar altijd op de fiets, tijdens zijn verzameltochten. Dit was anders.

Voorzichtig ging hij zitten, daarna liggen. Het water kroop in de eerste seconde nog netjes langs de openingen van de kleding naar binnen, langs de pijpen, langs de mouwen en de halslijn, maar meteen daarna drong het overal door de stof heen, alsof het allereerste water dat was binnengeslopen alles had opengegooid voor de rest.

Jimmy was nu helemaal onder, afgezien van zijn hoofd, dat hij zo angstvallig boven water hield dat hij meteen kramp kreeg in zijn nek.

Jetmira boog over de rand. 'Oké, nu moet de temperatuur nog wat zakken. Klaar? Deze komen er nog bij.'

Ze zwierde verschillende zakken diepgevroren groenten in het water. Erwtjes, boontjes, ajuinen – alles wat ze in de diepvriezer had gevonden. Daarna nog rodekool, kervel,

frieten. Met elke zak steeg het waterniveau en moest Jimmy zich verleggen om met zijn aangezicht boven water te blijven. Omdat Tristan gewoon meedeed met de aanvoer van de diepvriesproducten durfde Jimmy niet te zeggen dat het wel koud genoeg was, zo.

Jetmira voelde aan het water. 'Vanaf nu beginnen we te tellen. Je moet er zo lang mogelijk in blijven.'

'Tellen jullie in seconden of minuten?' vroeg Jimmy klappertandend.

'In minuten,' zei ze.

Hij kon niet gaan zeuren dat hij het koud had, zij hadden nachten in de bergen doorgebracht, zij hadden urenlang doorweekt in een bootje op zee gedobberd.

Was dat hun plan voor morgen, de mensen die het uitwijzingsbevel hadden gestuurd uitnodigen om in dit bad te komen liggen, zodat ze zelf eens konden ondervinden welke koude de Ibrahimi's hadden doorstaan om hier te komen, zodat ze het zouden begrijpen?

Jimmy bewoog met zijn hand om een zak die te dicht bij zijn blote huid kwam weg te duwen. Hij had een pijnstiller moeten nemen, want koude was een soort van pijn, pijn die zelf de weg nog niet kende. Hij sloot zijn ogen en overliep zijn verzameling, probeerde op te sommen wat er nog mankeerde. De opsommingen die hem normaal rust gaven, maakten hem alleen maar nerveuzer, want ze leken ver weg te zitten, achter glas.

'Gaat het nog?' vroeg Tristan, die over de rand boog. 'Je bent goulash nu.'

Het was voor het eerst vandaag dat Jimmy Tristan zag glimlachen.

'Jullie kunnen die groenten hierna beter niet opnieuw invriezen,' zei Jimmy. Dit had zijn vader hem tijdens het koken geleerd, dat kon gevaarlijk zijn.

Jimmy mocht niet aan zijn vader in kookschort denken

nu. Wanneer hij dat beeld voor zich zag, werd hij slap en doordringbaar en kon hij beginnen te wenen om het minste. Als hij nu slap en doordringbaar zou worden, liep dit water gewoon recht door zijn huid heen naar zijn organen en dan was het afgelopen met hem.

Tristan zei iets tegen Jetmira. Ze overlegden op een serieuze toon in hun eigen taal. Ook al hoorde Jimmy zijn naam niet vallen, het ging vast en zeker over hem.

'Wat zeggen jullie?' vroeg hij.

'We vragen ons af of je nog wel goed ademt. Heb je geen pijn in je hart of in je longen?'

Jimmy legde zijn hand op zijn hart en longen om te weten hoe het daarmee ging, maar hij voelde zijn lichaam helemaal niet meer, hij voelde niets met zijn hand, noch met zijn borst. Het zou zomaar kunnen dat zijn piemel losgeraakt was, uit de pijp van de short tevoorschijn kwam en ronddobberde in de kuip.

'Hoelang nog voor ik geslaagd ben?' Hij had het idee dat ze in hun hoofd een tijd hadden vastgepind, want ze keken af en toe op hun horloge, steeds vaker, alsof het erop of eronder was.

Jimmy probeerde de koude te zien als een trap die hij op moest klimmen, de trap naar de matrassenkamer boven, nog een trede, nog een trede, eentje kon er nog wel bij, aan het einde zou hij kunnen gaan liggen, tussen de warme lichamen van Lavdi en Tristan in.

'Je zit aan vijftien minuten,' zei Jetmira, met een niet te verhullen opluchting in haar stem. Dit moest de minimumtijd zijn die ze hadden bepaald, maar helemaal zeker was Jimmy daar niet van, dus bleef hij nog tien extra tellen liggen.

'Was dit lang genoeg?' vroeg hij. 'Ben ik geslaagd?'

'Ja, je bent geslaagd, Jim,' zei Tristan. Daarna ging hij in zijn eigen taal met Jetmira in discussie.

Jimmy klauterde er meteen uit. Om zijn evenwicht te bewaren, moest hij zich vasthouden aan de arm van

Tristan, wiens huid heerlijk warm was – liever zou hij zich er nooit meer van losmaken.

Achter een muur van opgestapelde bananendozen kleedde Jimmy zich om. Het ging moeilijk, hij kreeg met zijn bevroren vingers het trekkoordje van de short amper los. De natte kleren wierp hij over de bananendozen.

'Brengen jullie een handdoek?' vroeg hij.

Naakt stond hij te luisteren hoe Jetmira en Tristan opruimden, een van hen bracht de groenten weer naar binnen, de ander zorgde ervoor dat Jimmy's natte kleren verdwenen. Niemand bracht een handdoek. Met zijn stijve vingers wurmde hij heel voorzichtig de rits van zijn rugzak open, in geen geval mocht er een druppel water op een van de albums belanden – hij had ze in plastic moeten inpakken.

Hij deed er zeker een kwartier over om zijn eigen kleren weer aan te trekken.

Toen hij aangekleed was stapte hij naar buiten, het zonlicht in. De warmte was vreemd. Zowel zijn ogen als zijn poriën knepen zich samen in het felle licht. Tristan stond naast Jetmira achter in de tuin. Ze begroeven de natte kleren van zonet. Ze zwegen toen Jimmy zich bibberend bij hen aansloot.

'Wat doen jullie? Wat is het plan nu eigenlijk?'

'We moeten alle sporen vernietsigen. Morgen vertellen we je de rest. Eerst moet je blijven slapen,' zei Tristan streng.

'Het is "vernietigen",' zei Jimmy klappertandend, 'niet "vernietsigen".'

Jetmira nam over. 'Het tweede deel van de proef begint nu. We moeten weten of je een geheim kan bewaren. Je mag over deze proeven niets vertellen, tegen niemand. En je mag ons geen enkele vraag meer stellen over het plan.'

'Tot wanneer?' vroeg Jimmy.

'Tot morgen negen uur. Dan ben je geslaagd, dan voeren we het plan uit.'

Jimmy knikte. 'En vanaf wanneer begint deze proef?'

'Vanaf nu.'

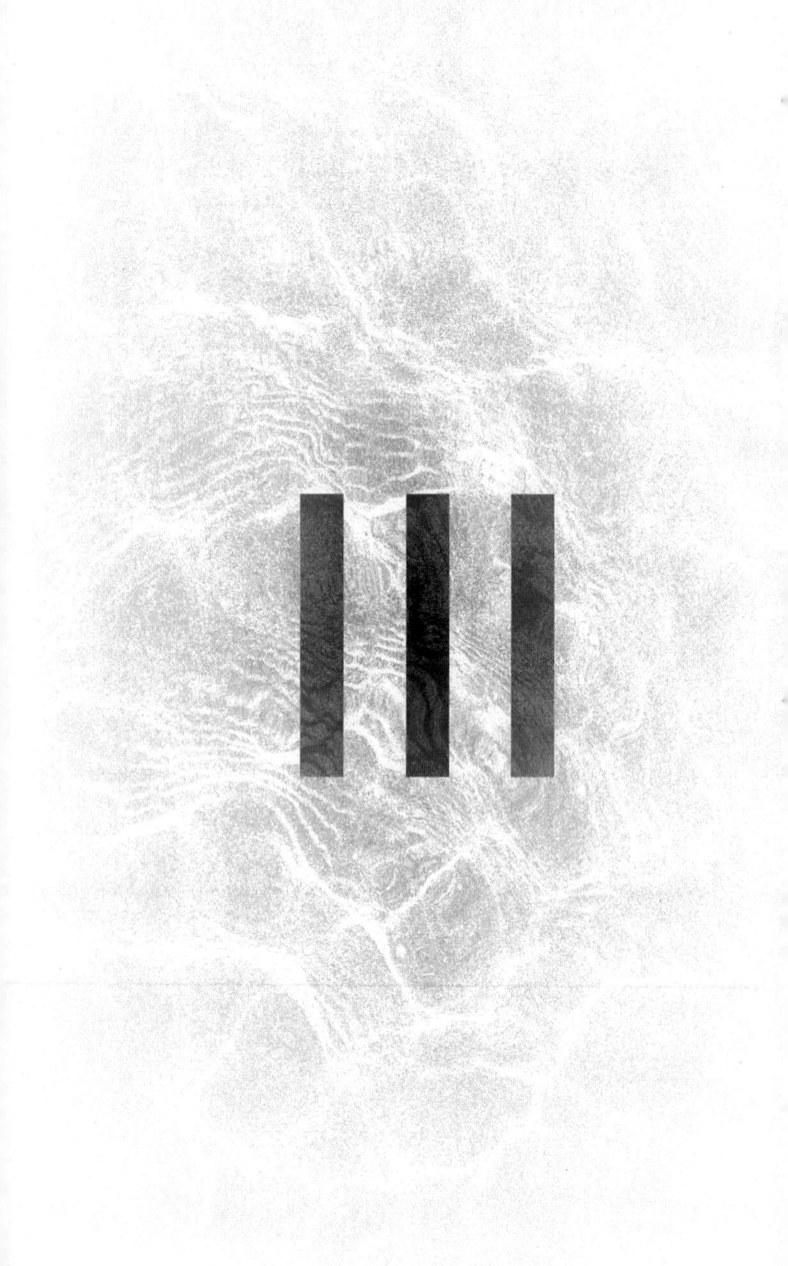
III

Jetmira was naar binnen geroepen om haar ouders te helpen met het uitpakken van de aankopen. Tristan en Jimmy bleven achter in de tuin, bij het hoopje vers omgewoeld zand.

Nog voor Jimmy kon bedenken of deze setting voldeed voor de overhandiging van de albums in zijn rugzak, keerde Jetmira alweer terug, met de serieuze, gerichte tred van iemand die een boodschap kwam overbrengen. Hun moeder wilde, ondanks het slechte nieuws, toch iets lekkers koken nu ze een logé hadden, en dus moest Tristan aardappelen en ajuinen oogsten en de rijpe paprika's plukken. En konden ze, als ze daarmee klaar waren, ook het onkruid in de serres nog verwijderen?

Onkruid wieden deed Jimmy graag. Hij was het gewend om met Tristan in de moestuin te staan. Alle Ibrahimi's boven de acht jaar moesten op woensdagen en in de vakanties dagelijks één uur in de tuin werken voor ze mochten uitvliegen naar speelmaatjes en sportafspraken; als een vriendje hen erbij hielp, werd de verplichte tijd door twee gedeeld. Normaal gezien combineerden Jimmy en Tristan het wieden van onkruid met vocabulaire oefenen; dan verzon Jimmy moeilijke woorden waarvoor Tristan een synoniem moest bedenken. Of hij vertelde Tristan de geschiedkundige feitjes uit zijn flippomappen, om hem op onopvallende wijze te ontwikkelen tot een goedgeïnformeerd verzamelaar.

Jimmy liep achter Tristan aan naar de serre. De zon stond al wat lager, waardoor de schaduwen van de tomaten langzaamaan de vorm kregen van aubergines en de schaduwen van de aubergines op komkommers begonnen te lijken.

'Doe jij het wieden, dan doe ik het plukken en sproeien,' zei Tristan.

Ze werkten in stilte. Jimmy's onderbroek was nog steeds nat, het ongemak nam toe als hij vooroverboog. De grond was droog, het onkruid kwam makkelijk los. Nu ze met twee waren, werden hij en Tristan weer gelijk, paste hij weer gewoon in Tristan en Tristan in hem. Toch had synoniemen oefenen nog nooit zo onbenullig geleken als vandaag.

‘Heb jij al eens slakken gegeten?’ Tristan zette de teil

neer waarin hij de geoogste groenten verzameld had.

‘Nee,’ zei Jimmy. Dat Tristan er al had gegeten, vermoedde hij wel. Bij de vlucht door de bergen hadden ze hun honger moeten stillen met alles wat ze hadden kunnen vinden.

Tristan volgde een slijmspoor, tilde een slak van de grond, rukte het huisje ervan af. ‘Hier, proef eens.’

Hij legde het slijmerige, wormachtige ding in Jimmy’s gespreide hand.

Hoorde dit ook bij de proef? Jimmy bracht zijn hand omhoog en bekeek de slak van heel dichtbij, de leerachtige huid, de in- en uitstulpende voelsprieten, de vastgekoekte zandkorrels. Het was onmogelijk om het dier naar zijn mond te bewegen.

Tristan leidde Jimmy’s hand naar zijn mond.

Natuurlijk zou het eten van deze slak hem niet dichter bij Tristan brengen, maar een weigering zou hen wel uit elkaar drijven. Hij duwde het diertje naar binnen, maalde een paar keer krachtig. Het was taaier dan verwacht en hij dacht te voelen dat de ziel niet meteen losliet. Het zand knarste, de smaak deed denken aan champignons.

Hij zou niet kokhalzen, hij moest dit kunnen. Jimmy dacht aan zaken waarbij deze kleine hap in het niet zou vallen, heel lang in ijskoud water liggen bijvoorbeeld, dat had hij ook gekund. Als je de teleurstelling over zijn vader, die nooit had gebeld om naar zijn schoolresultaten te vragen, zou laten inkoken tot een hapje ter grootte van een slak, dan zou dat taaier zijn dan dit.

‘Niet slecht, hè,’ zei Tristan, toen Jimmy klaar was met slikken.

‘Nee.’ Hij probeerde niet te monter te klinken, want op een tweede zat hij niet te wachten.

Een halfuur later was het onkruid uit de kassen verwijderd en had de hele moestuin water gekregen. Tristan en Jimmy slenterden over de lange graspartij, langs de schommel en de glijbaan. Ze trapten een onrijpe, losgekomen tomaat voor zich uit, die steeds meer barsten kreeg. Jimmy probeerde zijn tong zo stil mogelijk te houden, want zodra die zijn verhemelte raakte, flakkerde de champignonsmaak weer op en moest hij kokhalzen. Ze gingen de schuur binnen.

'Ik heb een belangrijke verrassing voor jou meegebracht,' zei Jimmy nog voor ze neerzaten. Hij schrok er zelf van dat hij er dit moment voor had uitgekozen.

'Voor mij? Waarom?'

'Zullen we papriprak maken en dat ik het dan overhandig?'

'Dat is goed,' zei Tristan. Zijn houding had meteen iets lichters.

Ze brachten alles in gereedheid. Ze klapten de toiletbriltafel naar beneden en schoven er krukjes naartoe. Vanonder een laken trok Tristan de houten kist tevoorschijn, die alle benodigde materialen bevatte: een miniwaterkokertje dat ze tussen Kurts spullen hadden gevonden, lepels, stoffen servetten, opgerold in houten ringen waarin ze J.S. en T.I. hadden gegraveerd, en twee kommetjes, beschilderd met dezelfde initialen.

Jimmy viste het tasje met de vandaag nog doorzochte chips uit zijn rugzak. Hij probeerde alles zorgvuldig te doen, ook al wilde hij zo snel mogelijk de slakkennasmaak kwijt.

Papriprak bleef een van de beste uitvindingen ter wereld. Na elke naschoolse les van het afgelopen jaar hadden ze dit heerlijke hapje samen klaargemaakt. Papriprak bestond al even lang als hun vriendschap en was even belangrijk als zijzelf.

Jimmy had het gerecht uitgevonden vlak voordat Tristan in het dorp was aangekomen, en toen hij Tristan eenmaal vertrouwde, had hij het ook aan hem voorgeschoteld, de eerste proever. Aanvankelijk had Jimmy Tristan wijsgemaakt dat papriprak een lokale specialiteit betrof, omdat hij dacht dat het de smaakervaring goed zou doen, maar diezelfde avond in bed had Jimmy daar al spijt van gehad, omdat Tristan het

klakkeloos had aangenomen, zoals hij in die eerste dagen alles klakkeloos aannam. Jimmy had 's anderendaags toegegeven dat het een leugen was geweest, dat het geen streekmaal was en dat Tristan, als hij wilde, een eerlijker vriend mocht zoeken in het dorp, er waren nog veel kandidaten, maar Tristan zei dat het niet erg was. Beter nog: hij vond dat het goed krachtvoer was. Ze moesten het uitdelen aan hun soldaten, zei hij, ze zouden meteen de oorlog winnen.

Papriprak bestond uit een deel water en twee delen 'gruzelementjes' – dat waren met een daartoe ontworpen knuppeltje in een vershoudzak tot kleine kruimels vermorzelde chipsdeeltjes, de bijvangst van elke verzamelaar. Dat was Tristans taak, het fijnkloppen van de stukjes, terwijl Jimmy zich ontfermde over de temperatuur van het water. Ze hadden in het afgelopen jaar veel verhoudingen en smaken geprobeerd, maar de lekkerste prak was die van paprikachips gemengd met warm maar niet kokend water, dan werd het geheel zachter. Mengen, even laten trekken, weer mengen. Tijdens het mengen maakte Jimmy met de lepel chique, gracieuze bewegingen, zoals hij een televisiekok had zien doen. De heimelijkheid, dat ook, dat was misschien het belangrijkste ingrediënt, het moest – zoals nu – bereid worden buiten het zicht van anderen, achteraan in de loods, en ze moesten het snel maar met kleine hapjes oplepelen, alsof er lijfstraffen op stonden wanneer iemand hen ermee zou betrappen.

Ze aten zoals altijd zij aan zij, in ongeveer hetzelfde tempo, uit de porseleinen kommetjes die Jimmy uit het twaalfdelige trouwservies van zijn ouders had geleend. De prak smaakte exact zoals hij smaken moest, en vandaag zelfs nog lekkerder dan normaal, want het was misschien echt de laatste keer.

Jimmy had er met Tristan weleens over gedagdroomd dat ze samen een restaurant konden openen waar uitsluitend prak geserveerd zou worden, in handige meeneemporties. Klanten zouden zelf hun mengeling kunnen samenstellen, met melk of water of fruitsap als basis, en dan een chipssoort naar keuze (Grills, of Cheetos, daar had hij inmiddels ook heel veel gruzelementen van verzameld). Voor een mengeling van smaken betaalde je vijf frank meer, ze zouden elke week een smaak van de chef kiezen (altijd de traditionele papri-prak). In Klein Kosovo hadden ze alle nodige materialen al: een oude kassa, plastic frietbakjes, een toog, posters waarop ze prijslijsten konden noteren. Ze konden het kapelletje aan de overkant gebruiken als verkooppunt, daar kwam toch nooit iemand bidden en er was om de een of andere reden een stopcontact, handig voor de waterkoker.

'Wacht hier,' zei Jimmy toen ze klaar waren met de prak. Hij verdween met zijn rugzak en verstopte zich achter de biljarttafel. Daar knoopte hij gehurkt zijn gele satijnen das om, die hij uit het voorzakje van zijn rugzak vandaan had gehaald. Met de albums opengeklapt stapte hij weer tevoorschijn.

'Dit is mijn simultaanverzameling, voor jou gespaard!' riep hij. 'Als jij belooft er goed voor te zorgen, dan mag je ze houden.'

Hij wachtte nog even, om te meten hoe enthousiast Tristan was, voor hij uit zijn rugzak ook de tweede das tevoorschijn haalde, een felrode. Hij wilde er zeker van zijn dat Tristan wist hoeveel dit allemaal betekende, hoeveel uren er in die twee kartonnen kaften opgeslagen zaten, wat de echte geldwaarde van deze bekroning was, en dat hij hem niet zou uitlachen.

Tristan keek met grote ogen naar het album. 'Wauw,' zei hij. 'Hier heb je vast héél lang voor gespaard.'

Nu pas strikte de glunderende Jimmy de felrode das bij Tristan om – maanden geleden had hij die al uit de zak gevist waarin de kleren van zijn vader zaten die voor

Spullenhulp waren bestemd. 'Nu ben je ook een echte verzamelaar.'

Tristan wist zich met de das geen houding te geven, zo'n strop rond je hals was in het begin altijd wat wennen. Toch probeerde Jimmy onverstoord verder te gaan, de hele introductie uit te spreken zoals die in zijn hoofd zat. Deze verzameling verdiende Tristan, zijn allerbeste vriend, op wie hij zo trots was omdat hij de taal had leren spreken. Dat het publiek ontbrak waarmee hij deze speech in zijn hoofd had geoefend, was niet erg.

Jimmy bladerde eerst door de ene map, bracht verslag uit van wat Tristan nu allemaal bezat, waar voor een verzamelaar de valkuilen zaten. Pas daarna liet hij hem de map met de zeldzame exemplaren zien. Hij toonde hoe je met het juiste materiaal de vettige vingers van de vensters kon wegpoetsen.

Eindelijk zou Tristan zich een beeld kunnen vormen van de manier waarop Jimmy de voormiddagen had besteed die Tristan zwemmend had doorgebracht. Tristan leek onder de indruk, hij bedankte Jimmy wel vijf keer. 'En je wil deze mappen morgen niet meenemen als je terug naar huis gaat?'

'Nee,' zei Jimmy. 'Maar ze mogen altijd bij mijn mappen komen logeren.'

Jimmy keek meermaals opzij, om te kijken welke vorm hun schaduwen hadden nu ze allebei een das droegen. Inderdaad, ze waren reusachtig geworden.

'Collega,' zei Jimmy, hij ging voor Tristan staan en trok zijn dasknoop wat losser en dan weer wat strakker. 'Als we onze das dragen, moeten we elkaar over alles eerlijk op de hoogte brengen. Dat hoort bij het beroep, toch?'

Hij wachtte, Tristan reageerde instemmend noch protesterend.

'Ja, het hoort erbij, het staat in ons geheime handboek, verzamelaars moeten behalve alert ook eerlijk zijn,' vulde Jimmy zelf verder aan. 'Stel dat ik een plan had, dan zou ik je nu alles daarover moeten vertellen.'

Nu Tristan wist dat Jimmy behalve voor taal en rekenen ook een talent had voor verzamelen, zou hij het plan misschien nog willen aanpassen. 'Ik kan makkelijk héél snel héél veel mensen bijeenbrengen, voor een fakkeltocht bijvoorbeeld, of ik zou de aangewezen persoon zijn om een petitie op poten te zetten, we kunnen ons op de parking van de ALDI opstellen. En door die proef weten jullie nu ook zeker dat ik tegen nat en tegen koude kan, slecht weer zal me niet afschrikken!'

Tristan keek hem nog niksiger aan. Hij kon waarschijnlijk elk moment zijn das uittrekken en Jetmira roepen, het was nog niet laat, Marita kon vandaag nog de koudeproef doen. 'Jetmira heeft schrik dat als ik het aan je vertel, je niet mee wil doen. Hoe later je het weet, hoe beter,' zei hij plots, fluisterend.

'Waarom is dat beter?'

'Dan heb je minder tijd om erover te piekeren, of weg te lopen.'

Tristan stond op, draaide de das op zijn rug zodat de slippen niet in de weg zouden hangen, liep nu ook naar de biljarttafel, zakte op zijn knieën bij de gleuf waar de triangel in opgeborgen zat en haalde daar een kartonnen mapje uit tevoorschijn. Hij hield het voor Jimmy's gezicht.

'Hier, kijk, maar je moet beloven dat je ons niet in de steek laat.'

Jimmy beloofde het zonder nadenken. Tristan overhandigde hem het mapje. Er zaten twee dubbelgevouwen, uitgescheurde buitenlandpagina's van *De Standaard* in. Hij vouwde ze open, er waren meerdere artikelen, hij wist niet meteen om welk kadertje het te doen was. Tristan draaide de krant in Jimmy's handen om, tikte het juiste artikel aan – een klein stuk tekst, zonder foto: een asielzoeker in Duitsland had een terroristische aanslag op een trein verijdeld, was daarbij zelf levensgevaarlijk gewond geraakt en had na genezing asiel aangeboden gekregen.

Nu Jimmy wist waar hij naar moest kijken, zag hij op de andere uitgescheurde pagina meteen het juiste artikel, dit keer met foto: een uitgebrand gebouw, waar een man met een bos bloemen voor poseerde. Deze Algerijn was langs balkons naar de vierde verdieping van dit brandende gebouw geklommen om een kind te redden, en was met de kleuter in de nek onder het luide applaus van omstanders weer naar beneden geklommen. De stad had hem, zijn vrouw en zoon prompt het Franse burgerschap verleend.

Met gloeiende ogen keek Tristan Jimmy aan. 'Dit is ons plan. Een heldendaad. Ik ga iemand redden, zodat ik een nationale held word en van de koning een eremedaille krijg en een oorkonde en burgerschap.' De moeilijkste woorden sprak Tristan uit met de klemtonen op de verkeerde lettergrepen. Hij ging erbij staan met rechte rug en een hand op de borst, alsof de ceremonie nu al plaatsvond en hij elk moment het ereteken opgespeld kon krijgen. De das bengelde tussen zijn schouders, een petieterige superheldencape.

Jimmy knikte. 'En ik? Wil je dat ik mee nadenk over het soort daad? Krijg ik ook een taak?'

Achter hen klonk het knarsen van de poort van de schuur.

'Tristan?!' Jetmira kwam binnen. 'Komen jullie eten?'

Snel griste Tristan de pagina's uit Jimmy's handen. Met zijn vingers ritste hij zijn mond dicht.

Jimmy haalde zijn lepel door zijn goulash, die de net geoogste aardappelen, ajuinen en paprika bevatte, schepte de kip naar boven en liet die weer zinken. Zouden ze hem vragen om een huis in brand te steken? Zouden ze hem morgen een zelfgeknutselde bomgordel omdoen en hem bij de ochtendviering van zeven uur de kerk in sturen? Of nee,

Jimmy's vader – misschien draaide het plan om hem; misschien wilde Tristan hem opsporen met Jimmy als lokaas, om zo de gedupeerden in het dorp hun geld terug te geven?

De Ibrahimi's dineerden binnen, rond de donkere houten tafel. Jimmy hadden ze aan het hoofd gezet. Hij had zijn stropdas voor het eten opgeborgen en had Tristan opgedragen hetzelfde te doen. Het gezin was voor het eerst sinds het uitwijzingsbevel van vanochtend voltallig, en toch ging het gesprek daar niet over. De kinderen vertelden een voor een wat ze vandaag hadden gedaan, met wie ze hadden rondgehangen. Hun moeder droeg hun op dat in het Nederlands te doen, zodat Jimmy het ook kon volgen. In de stiltes die er tussen de gesprekken vielen, sluimerde het besef dat aan al die hobby's en vriendschappen zomaar een einde kon komen.

Jetmira zweeg over de proeven. Gelukkig werden Jimmy geen vragen gesteld, hij zou zijn mond nog voorbijpraten.

Lavdi en haar moeder hadden hun best gedaan in de keuken. Naast de goulash kreeg iedereen op zijn bord een grote punt laagjesdeegtaart waarin spinazie en kaas verwerkt zaten. Het speet Jimmy dat zijn maag al volgestouwd zat met prak.

Tristans vader at in een stilte die bodemloos leek. Jimmy durfde de man nooit lang aan te kijken, om niet de indruk te geven dat hij naar het litteken op zijn gezicht staarde. Tristan had hem verteld dat zijn vader een andere man was geweest in Kosovo, alsof er maar een deel van hem mee was gevlucht naar hier. In België had hij door de taalkloof bij zo veel zaken hulp nodig van zijn kinderen dat hij ook steeds vaker hun hulp inriep bij simpele handelingen die niets met taal te maken hadden en die hij in Kosovo gewoon zelf had gedaan, zoals koffiezetten of kippen slachten.

Na het eten speelden ze koningsbal op de buitenkoer met alle kinderen, daarna streken ze neer op het tapijt in de woonkamer voor een rondje Pictionary. Voor het eerst deed Tristans moeder mee, vanaf de zetel. Ze had tot grote pret van de kinderen een schaap getekend, niet zomaar een schaap, maar het familieschaap dat ze in Kosovo hadden achtergelaten, Re, wat Albanees was voor wolk. 'Re!' riepen de kinderen door elkaar heen. Een van hen begon te snikken, maar werd meteen getroost. Daarna ging het raden vooral verder in het Albanees, waarop ze zich verontschuldigden tegenover Jimmy en de woorden in het Nederlands vertaalden.

Zo voelt het dus, dacht Jimmy, om deel uit te maken van een groot gezin. De Ibrahimi's waren een volledige verzameling op zich. Hij kon zich plots voorstellen waarom sommige mensen niet geïnteresseerd waren in het vullen van mappen.

Er werden een gieter, een school, een postbode, de juffrouw en een tandenborstel getekend. Jimmy raadde geen enkele tekening als eerste, hij was er ook niet helemaal met zijn hoofd bij, en toen hij zelf aan de beurt was, had hij zo veel schrik dat hij iets zou tekenen waarmee hij het plan van Jetmira en Tristan zou verraden dat hij de kast tegenover hem natekende – niemand raadde het.

Hij kon niet wachten tot het bedtijd was, het moment waarop Tristan en hij naar boven zouden worden gestuurd, naar de matrassenkamer, waar ze met z'n tweetjes kunstjes zouden kunnen uitvoeren, elkaar grappen konden vertellen en schaduwtheater op het plafond konden doen met hun voeten en handen. Kopstand tegen de muur kon Jimmy al, vanavond zou hij bewijzen dat hij het ook los van de muur kon. Ze zouden misschien kunnen voorstellen om tegelijk met de kleinsten naar bed te gaan, dan hadden ze nog meer tijd om te ravotten, en dan hadden ze publiek voor hun theaterstuk.

Het begon te schemeren.

Ineens werd het felle kamerlicht aangeknipt en werd het onmogelijk de donkere tuin achter het reflecterende glas nog te zien. Tristans vader deed de buitendeuren en rolluiken dicht. Er daalde iets schichtigs over het hele gezin neer, alsof er met het afsluiten van het huis iets vreselijks opgesloten werd in hun midden. De kleinsten, die nog steeds niet naar boven waren gestuurd, kropen dichter tegen de oudste zussen aan. Wie naar het toilet moest, werd vergezeld door Tristans vader, niemand verliet de kamer nog alleen. Ook Tristan werd stiller en afhankelijker, hij leek in niets meer op de jongen die hem een paar uur eerder een slak had doen eten. Er werd een bedrukt gesprek gevoerd in het Albanees tussen Jetmira en haar ouders, waarvan Jimmy, zonder dat hij zijn naam hoorde vallen, toch het gevoel kreeg dat het over hem ging, doordat ze met een compenserende glimlach in zijn richting keken.

De tanden werden gepoetst in groepjes van twee of drie, hand in hand legden de kinderen de weg af via de keuken, waar de resten van het avondmaal nog op het fornuis stonden om af te koelen, naar de achterbouw, waar de wasplaats en de badkamer zich bevonden. Tristan ging als laatste, samen met Jimmy. Even dacht Jimmy dat Tristan zijn hand zocht, zo dicht liep hij tegen hem aan, maar toen Jimmy naar de hand van Tristan greep, deinsde die toch weer terug.

Ze wasten hun gezicht en voeten, elk gezinslid had een eigen kleur washandje op de badrand hangen, Tristan deelde zijn washandje met Jimmy.

De jongsten van het gezin durfden niet zonder de oudsten te gaan slapen en de oudsten wilden ook niet dat de kleinsten alleen boven lagen, vertelde Tristan. Daarom bleven ze zodra het donker was voortdurend samen en gingen ze elke avond op hetzelfde tijdstip naar bed.

Op de terugweg vergrendelde Tristan elke deur die er te vinden was, deuren die overdag altijd open hadden gestaan en waarvan Jimmy nooit had geweten dat er een slot op zat.

Tristan schrok van het dichtknippen van de sloten, hij

dook bij elke klik iets verder in elkaar en zette niet weer uit. Plots wist Jimmy waar Tristans houding hem aan deed denken: aan die van kleuters die zich verzamelden op het sportveld bij hun eerste brandalarm op school, die nog niet begrepen hadden dat het een evacuatieoefening betrof.

Tussen de voordeur en de woonkamer waren er nu drie gesloten deuren. Ze stonden weer bij de rest van het gezin. Tristans vader blokkeerde de klink van de laatste deur met een gekantelde stoel. Jimmy stond er stilletjes naar te kijken. Tot nu had hij zich afgevraagd of Tristan hem had willen verhinderen te vluchten voor de reddingsactie van morgen, maar de barricade van Tristans vader maakte het duidelijk: het ging er niet om iemand binnen te sluiten, het ging erom iets buiten te houden. Hoe zenuwachtiger Tristans vader werd, hoe dichter de kinderen zich bij hem schaarden.

'Verwachten jullie inbrekers, zijn er dieven in de buurt?' vroeg Jimmy zachtjes aan Tristan.

'Vroeger waren we niet bang voor het donker,' zei Tristan. 'Maar nu, als we onze ogen dichtdoen, zijn we weer in de bergen.'

Het gezin treuzelde beneden aan de trap, leek zich op te splitsen in twee groepen, meisjes en jongens apart.

'Normaal slapen we altijd allemaal boven, maar we willen niet dat een van de meisjes vannacht wakker wordt en dat ze denken dat jij een vreemde bent.' Tristan praatte, sinds het donker was, alleen maar in de wij-vorm.

'Maar ik ben toch geen vreemde? Ik neem niet veel ruimte in, ik kan heel klein slapen, hoor.' Jimmy's 'ik' voelde klein en miezerig tegenover Tristans meervoud.

Jimmy bewoog al richting de trap, hij was hooguit twintig treden verwijderd van de hemelse kamer vol matrassen, en ook al was de sfeer er niet meer naar om kopstanden te oefenen, gewoon daar te mogen slapen zou veel goedmaken.

Zijn argumenten hadden geen effect, Tristan deed geen poging om Jimmy's bezwaren onder de aandacht te brengen. Tristans vader kuste zijn dochters slaapwel, Tristans moeder kuste haar zonen slaapwel. Ook Jimmy gaf ze een knuffel, met haar kruidige geur, lange losse haren en langwerpige, losse borsten onder haar T-shirt. Daarna ging ze haar dochters voor, de trap op, met Paola op de arm. Tristans broers en hun vader bleven beneden, keken toe hoe de vrouwen wuifden, alsof ze voor jaren weggingen. Defrim snikte, ook de baby begon te huilen. Lavdi vertrok als laatste, een ijzeren emmer met zich meedragend. Ze maakte in het naar boven gaan haar knot los, ze had dikke sluike haren tot aan haar middel.

Het was Jimmy een raadsel waar de mannen zouden slapen. Voor zover hij wist telde dit huis geen twee slaapkamers.

Hij volgde Tristan, die ook een emmer uit de keuken had meegenomen, naar de kamer met kleding op de benedenverdieping.

Op een hoek van de piano lag een stapel slordig gevouwen handdoeken en lakens. Er was een laken te weinig, Tristans vader gaf er één aan Jimmy en viste voor zichzelf een sjaal op uit de voddenbaal en controleerde of die breed genoeg was om zich ermee te bedekken.

'Kies maar een plek,' zei Tristan.

'Gaan we boven geen matrassen halen?' vroeg Jimmy.

'Voor één nacht is dat de moeite niet.'

Jimmy keek toe tot hij begreep wat de bedoeling was. Tristans vader en de vier broers kozen elk een plaats uit, maakten daar een zo zacht mogelijke oppervlakte, verwijderden de kledingstukken met knopen of ritsen, waarna ze wriemelend en wroetend neerzegen als katten om hun draai te vinden.

'Doen jullie geen pyjama aan?' fluisterde Jimmy.

'Nee, voor als we naar buiten moeten.'

De emmer had Tristan bij de deur achtergelaten. Jimmy ging er zo ver mogelijk van weg liggen, en tegelijk zo dicht mogelijk bij Tristan, die op zijn beurt dicht bij zijn vader kroop, waardoor ze uiteindelijk met z'n zessen slechts de helft van de kamer innamen. Defrim en Riad vlijden zich allebei met hun hoofd in de oksel van hun vader. Naim rolde zich op onder de piano.

De lucht die opsloeg uit de dekens, zo rook Tristan ook, een mengeling van zeep en gestikt vocht. Nu hij deze geur kon plaatsen, vond hij Tristan met terugwerkende kracht minder lekker ruiken. Deze middag, bij het uitzoeken van zijn zwembroek, had hij het niet opgemerkt, maar toen was het licht geweest. Geuren werden in het donker nadrukkelijker, net als angst.

Slaapwel iedereen en dat we vannacht geen bezoek krijgen in onze dromen, vertaalde Tristan de wens die werd uitgesproken door zijn vader.

Er werd geen licht uitgeknipt na deze woorden, het peertje aan het plafond bleef branden. Jimmy durfde niet te vragen of dit wel de bedoeling was, het was onmogelijk dat de Ibrahimi's het zelf niet doorhadden.

Was deze nacht deel van de proef, speelde het hele gezin nog steeds mee, om te kijken of Jimmy geen lafaard was, of ze hem wel wilden inzetten voor hun reddingsplan? Jimmy somde alle sportactiviteiten op waarin hij niet echt slecht was geweest, maar niets daarvan leek hem nuttig bij het organiseren van een heldendaad zoals die in de krant beschreven had gestaan.

Hij observeerde Tristan, die zijn ogen sloot en in foetushouding kroop. Afwachtend keek hij naar Tristans gesloten oogleden, tot die weer zouden opengaan en zou blijken dat de proef geslaagd was. Dan konden ze naar boven om zich bij de rest te voegen. Zeker tien minuten gebeurde er niets. Tristan werd Jimmy's vizier gewaar en draaide zich schichtig weg.

Op de grond slapen moest comfortabeler zijn dan op kledingstukken. Hoe Jimmy ook ging liggen, steeds vormden er zich pijnlijke bobbels in de stof. Hij zag zijn eigen kamer voor zich, zijn Mickey Mouse-dekbed, zijn bureau met de posters van de Turtles erboven. Hij kon hier weg, hij hoefde maar de stoel onder de klink van de woonkamerdeur weg te schuiven, drie sleutels om te draaien, zijn BMX te pakken en naar huis te fietsen. Zijn moeder lag vast al in bed, hij had een sleutel in het binnenzakje van zijn rugzak, de teckeltjes zouden hem komen begroeten, hij kon hun tikketikkende nageltjes op de tegelvloer al horen.

Maar hij bleef liggen. Als hij wegging kon hij zich hier nooit meer vertonen. Hij wist precies hoe deze plek eruit zou zien zonder hem, hoe dit gezin zonder hem verder zou moeten. Zelfs wanneer ze teruggestuurd zouden worden naar een land waarvan hij zich nauwelijks een voorstelling kon maken, kon hij zich beter hun leven inbeelden dan zijn eigen leven zonder hen – zijn slaapkamer, zijn dekbed, zijn verzameling, hij wist niet hoe het moest.

Acht keer tot zestig tellen en dat zestig keer, zo lang duurde het voor de zon weer zou opkomen, voor de vogels buiten zouden kwetteren en de eerste auto's zouden langsrijden en ergens een haan zou kraaien en de kerkklokken de ochtenddienst zouden luiden.

De nacht duurde eindeloos. Alle vijf prevelden de Ibrahimi's in hun slaap smeekbeden in het Albanees.

'Jo jo jo,' jammerde Tristans vader alsmaar, het weinige Albanees dat Jimmy kende – nee nee nee. Tristan kroop helemaal in de laag kledij weg, probeerde zich te verstoppen, om dan tien minuten later plots piepend naar een hoek van de kamer te kruipen, een gekwetst dier, met het laken om zich heen gewikkeld. Het was alsof er vanuit deze kamer, met hun zielen, een oorlog uitgevochten werd in een andere dimensie.

Boven hoorde hij af en toe iemand een zin schreeuwen, waarop Paola ging huilen, hij dacht Jetmira's stem te herkennen. Jimmy schaamde zich voor de rust waarmee hij het afgelopen jaar elke nacht in zijn kamer had doorgebracht. In zijn houten hoogslaper, waar hij de oorlog stiekem had bedankt voor zijn bestaan, waar hij zelfs Milošević had geprezen omdat die ervoor had gezorgd dat Tristan naar België was gekomen.

Af en toe stond er iemand op, om met luid gekletter in de metalen emmer te plassen. Dan verspreidde zich de weeë geur van urine in de kamer, die na een tijdje ging liggen, om nog zoeter en complexer op te laaien als een nieuwe straal het geheel weer omroerde. Zodra iemand opstond om te gaan plassen, hief Jimmy zijn hoofd op om te kijken of er ook anderen wakker waren, en inderdaad, allen waren dan wakker, keken elkaar schattend aan met ontzette blik, alsof iemand hardop een vraag had gesteld waarop niemand het antwoord kende.

IV

Vlak na het ontbijt hadden ze zich teruggetrokken in Klein Kosovo, waar Jetmira de map met krantenknipsels tevoorschijn had gehaald. Met gespeelde verbazing overliep Jimmy beide artikelen. Jetmira schetste snel een plattegrond van de omgeving waar hun plan, de redding, zou plaatsvinden. Een brede strook, een streep ernaast, een wolkje krabbels.

Haar uiteenzetting was van levensbelang. Toch moest Jimmy zijn best doen om zich te concentreren op de lijnen. Steeds zag hij het weer voor zich, hoe hij deze ochtend, bij het ontbijt, de mappen met dubbelen had aangetroffen.

Om klokslag halfzeven was Tristan Jimmy, die pas in slaap was gevallen toen het buiten licht was geworden, komen wekken. Het hele gezin was al uit bed, had hij gezegd, het ontbijt stond klaar, vlees en gebakken eieren, Jimmy kon maar beter goed eten, voor een heldendaad had je kracht nodig. De emmer met urine was verdwenen. Niets in de kleedkamer wees erop dat ze er met zes mannen de nacht hadden doorgebracht.

Jimmy was aangeschoven aan de nog gedekte ontbijttafel, tegenover Defrim, die met de restjes op zijn bord zat te frutselen. De Eerlijke-Vinder-Das hing losjes rond de nek van het jongetje, met de knoop van de dag eerder er nog in, erbovenop zat een klodder eigeel.

Tristan moest zo trots zijn geweest op zijn nieuwe verzameling dat hij ze meteen met zijn broers en zussen had willen delen, eigenlijk was dat een goed teken.

Alle kracht die Jimmy uit het ontbijt van vlees en gebakken eieren had gehaald, stroomde uit hem weg toen hij bij het wegzetten van zijn vuile bord zag hoe de rest van de verzameling eraan toe was: alle flippo's waren uit de venstertjes gevist en lagen verspreid door de keuken, op het aanrecht tussen het servies met etensresten, naast het fornuis, in het zeepbakje, op de vensterbank tussen de bloempotten met cactussen, op de vloer. Lavdi, die in teenslippers stond af te wassen, liep er gewoon overheen.

Jimmy had geprobeerd er zo veel mogelijk op te rapen, om ze af te kuisen en ze weer in de map te ordenen, maar volgens Tristan was het hoog tijd geweest om te vertrekken. De twee mooiste stuks die binnen handbereik lagen, had hij nog meegegrabbeld, World-flippo's nummer 196 en 223, Daffy Duck als Julius Caesar en Wile E. Coyote als Einstein.

'Oké, ik denk dat ik alles heb,' zei Jetmira. 'Nu goed opletten.'

Ze lichtte toe wat ze had getekend. De brede strook was het kanaal, de streep ernaast stelde het jaagpad voor, de verzameling krabbels was een struik.

'Het kanaal?' vroeg Jimmy.

'Tristan gaat je vandaag redden van verdrinking. Jij valt in het water en hij springt achter je aan en brengt je weer op het droge.'

Jimmy's borst trok samen. Hij was weer net zo koud als bij de proef.

Hij zette enkele stappen achteruit, zijn hoofd schuddend.

'Jij wil toch ook dat wij kunnen blijven?' vroeg Jetmira.

Jimmy knikte.

'Dan hebben we deze heldendaad dus nodig.'

'Ik wil echt niet in het kanaal springen,' zei Jimmy. 'Laten we een ander plan verzinnen.'

'Heb je liever dat we je huis in de fik steken en je daaruit komen redden?'

'Weet je hoe bang je bent in een echte oorlog?' vroeg Tristan. 'Jij hoeft niet bang te zijn straks, want je zal sowieso worden gered. Het enige wat jij moet doen, is in het water liggen.' Hij zei het op geruststellende toon, maar dat werkte niet echt. Tristan was dan op een jaar tijd wel een van de beste zwemmers van de school geworden, maar er was toch nog een verschil tussen goed kunnen zwemmen met één lichaam en goed kunnen zwemmen met twee lichamen.

'En kan ik er via een laddertje in?' Jimmy was nog nooit zonder plankje vanaf de rand in het water gesprongen. Dat wist Tristan ook. Als er bij de zwemuurtjes op school geen plankje vrij was, ging Jimmy langs het kleuterbad het water in, om dan stapje voor stapje verder te gaan, tot het diepste punt van het middenbad, waar hij nog net kon staan.

'Nee, dat is jouw moeilijkste deel, dat je van de rand in het water moet springen. Als dat achter de rug is, zit jouw taak er al op, dan moet je gewoon wachten op mij.'

Ze hadden het veel te ver gezocht. Jimmy kon zonder enige moeite een heleboel minder gevaarlijke heldendaden bedenken, reddingen waar geen water aan te pas hoefde te komen, waarbij ze nooit echt gevaar liepen. Hij kon zogezegd stikken in een flippo, waarop Tristan een manoeuvre uitvoerde en hij de flippo met grote kracht weer uitspuwde.

'Weet je wat veel beter is? We kunnen het prijsbeest van De Rappe Duif ontvoeren en hem dan terugvinden. Weet je wat zo'n vogel waard is?'

Tristan luisterde niet. Hij trok Jimmy bij de arm mee, naar het muurtje halverwege de schuur, dat ongeveer een meter hoog was.

'Hier vanaf springen, dat durf je toch?'

'Ja,' zei hij voorzichtig. 'Natuurlijk.'

'Doe eens voor dan.'

Met tegenzin kroop Jimmy op het muurtje.

Dit was alles wat hij zou moeten doen straks, ongeveer van deze hoogte springen. 'Het water moet je dan gewoon wegdenken.' Tristan had zijn hand opgestoken, zodat Jimmy er bij zijn sprong tegen zou kunnen slaan.

Jimmy keek naar de lagergelegen stalvloer. Flippo nummer 131, een van zijn lievelingsstukken, met Elmer Fudd en Bugs Bunny als ruimtevaarders, naast het gaspitje, scheefgetrokken door de hitte – er welden opnieuw tranen op.

Hij sprong, gaf in zijn landing de high five tegen Tristans opgestoken hand.

'Maar gaan mensen dan denken dat ik in het kanaal ben gevallen, of dat ik zelf ben gesprongen?'

‘Dat je gevallen bent,’ zei Tristan meteen.

‘Ja, maar als mensen denken dat je zelf gesprongen bent, dan is dat ook niet erg,’ zei Jetmira. ‘Mensen zouden dat ook geloven als ze weten uit welk gezin jij komt.’

‘Hoe bedoel je?’ vroeg Jimmy. Hij wist heel goed wat Jetmira bedoelde.

‘We nemen een bal mee,’ zei Tristan. ‘Je probeerde de bal uit het water te vissen en bent toen gevallen, oké? Jetmira, leg nu gewoon onze tactiek uit.’

Jetmira zweeg even, zoog op de pen voor ze die op het blad zette. Ze tekende een mannetje in de struik. ‘Oké. Hier zal ik staan. En Tristan, jij staat hier.’ Er verscheen ook een mannetje op het jaagpad. ‘Wij zijn hier aan het spelen op het jaagpad, tot we een plons horen en jou in het water zien liggen.’

‘Waar sta ik precies en waar kom ik terecht?’ vroeg Jimmy, die zijn best deed zich te vermannen. Tegelijkertijd was hij benieuwd hoe Jetmira hem zou tekenen, hij was nog nooit door een meisje geportretteerd.

‘Eerst ben jij hier.’ Ze tikte met de punt het blad aan. ‘En dan beland je in het water.’ Weer een inktstip. Tussen die twee punten tekende ze een pijl. Hij was geen mannetje, hij was een beweging. Bij het zien van de pijl die naar de brede strook water wees, werd er iets in zijn borst nauwer.

‘Zijn er mensen die in het water vallen en niet één keer bovenkomen, die gewoon meteen verdrinken?’ vroeg hij.

‘Nee, je hebt lucht in je longen, je bent net als de bal. Je kan niet zinken zolang je naar lucht blijft happen.’

Het zou als volgt gaan: Jetmira zou zich verderop verstoppen, vlak bij het jaagpad in dat bosje. Als er een fietser aankwam, zou zij het geluid maken van een haan, en dan moest het meteen gebeuren, de fietser die ze nodig hadden als getuige zou een paar seconden later al passeren.

‘Doe eens even jouw haan voor Jimmy,’ zei Tristan.

Jetmira stak haar kont naar achteren, ze strekte haar nek, stak haar kin naar boven. Haar gekraai bestond uit een schel, laag geluid, iets tussen een duif en een haan in, met een oe-klank waarvan Jimmy vrij zeker wist dat het een uu moest zijn. Kukelekuuu, dat was een haan. Een Vlaamse haan, alleszins. Misschien deed zij een Kosovaarse haan na.

'Als je dit hoort moet je dus meteen van de rand in het water vallen.'

Jetmira zou nadat ze had gekraaid zo snel mogelijk naar de Dijkstraat lopen, daar zou ze bij verschillende huizen aanbellen, om hulp roepen en bevelen dat mensen de brandweer en de politie en de ambulance moesten bellen. Het was nodig dat die er allemaal bij werden geroepen, dan maakte de hele actie meer indruk, en als ze geluk hadden kwam er ook nog iemand van de krant op af, de vrouw die hen eens was komen interviewen voor de *Gazet van Antwerpen* woonde daar ook.

'Een ambulance,' vroeg Jimmy, 'dat zal toch niet nodig zijn?' Zijn hand gleed in zijn broekzak, omklemde daar de flippo's. Automatisch begon hij de inkepingen te tellen door er zijn nagel in te drukken, eerst de grootste inkeping, dan verder draaien, nagel indrukken, verder draaien, nagel indrukken – zeven tussenstops voor hij weer bij de grote inkeping uitkwam. Flippo's hadden altijd dezelfde vorm, altijd dezelfde gladde textuur, hij hield ervan hoe ze precies in zijn hand pasten. Dat ze dienden om hele bouwwerken te maken, of stapeltjes waar je dan een flippo tegenaan moest gooien om de winnaar te bepalen, zoals de televisiereclames beweerden, dat was onzin, eigenlijk dienden de inkepingen precies hiervoor, om je tot acht te laten tellen en je daarin nooit teleur te stellen.

'Nee, normaal hebben we geen ambulance nodig, maar wel voor het verhaal, dan zal het allemaal meer nadruk maken.'

Indruk, wilde Jimmy corrigeren. Dit was een typische fout die hij Jetmira vaker had horen maken, maar hij liet het gaan deze keer.

‘Straks, als we eenmaal daar zijn, wijst het zich wel vanzelf. Iemand nog vragen?’ Jetmira had een hese stem gekregen, van de zenuwen, of van het geschreeuw van vannacht.

‘Waarom was ik eigenlijk de eerste op jullie lijst?’ Jimmy hoefde zelfs niet na te denken over een vraag, een hele rij vragen zat in hem klaar, als Mentos in een rolletje, hij kon ze er een voor een uit drukken.

‘Omdat jij van iedereen die we kennen het minst goed kan zwemmen, jij bent het geloofwaardigst.’

‘En waar diende de proef van gisteren eigenlijk voor?’

Het was Tristan die het probeerde uit te leggen; hij zocht naar woorden terwijl hij naar de balpen keek die Jetmira nerveus open- en dichtknipte.

Ze hadden willen testen of de persoon die meedeed aan de reddingsactie in ijskoud water niet zou blokkeren. Ze hadden het zien gebeuren toen ze op een halve kilometer voor de Italiaanse kust uit het bootje waren geduwd, bij een meisje dat zogenaamd als de beste kon zwemmen. ‘Ze was niet onder de hoed van een volwassene genomen, en toen ze het koude water raakte, schrok ze zo dat ze blokkeerde.’ Binnen de minuut, nog voor iemand haar kon helpen, was ze als een steen gezonken.

‘Onder de hoed-e,’ zei Jimmy. Hij kreeg het toch niet over zijn hart een fout van Tristan te laten passeren. ‘En als het per se een redding uit het water moet zijn, waarom kan het niet in de Put of in de Nete, of gewoon in het Preventorium? Waarom juist het Albertkanaal?’ Hij kon zijn blik niet van de inktput op het blad afwenden, alsof hij zichzelf nu al met zijn ogen boven water moest houden.

Ditmaal antwoordde Jetmira, kordaat. In het bos rondom de Put passeerde soms een hele dag niemand, en ze hadden getuigen nodig. In het zwembad was er een badmeester die de redding zou uitvoeren. Ze waren gisterenochtend op verkenning gegaan, de meeste passanten vond je aan het Albertkanaal. Veel gepensioneerden, die in de ochtend een rondje fietsten, veel mensen met een hond, joggers, en werknemers op de fiets op weg naar het industriepark van Herentals. Bovendien: het was een koninklijk kanaal. Jimmy moest niet zo veel vragen stellen nu, ze hadden hier beter over nagedacht dan hij voor mogelijk hield. Als ze zo dom waren als Jimmy hen afschilderde, hadden ze heus de vlucht naar België niet overleefd.

Ze vertrokken zonder rugzak of handdoek. Tristan droeg een zwarte Adidas-joggingbroek met ritsen in de pijpen, die zouden het zwemmen vast niet vergemakkelijken. Hij nam een bal mee, die hij voor zich uit tikte. Tristans moeder, die er wellicht van uitging dat ze op het basketbalveldje zouden gaan spelen, wilde Jimmy een fles limonade meegeven. Tristan sloeg het af.

'Volg ons,' droeg hij Jimmy op, 'maar laat er minstens de afstand van een gemiddeld perceel tussen.' Het was beter dat ze niet samen gezien werden.

'Dat slaat toch nergens op, dat we deze hele weg apart wandelen? Iedereen weet toch dat wij de beste vrienden zijn?' zei Jimmy.

Tristan en Jetmira wisselden blikken uit.

'Ze mogen niet aan onze houding zien dat we samen iets bestoven,' zei Tristan.

'Be-kok-stoven,' zei Jimmy.

Jetmira en Tristan gingen voor Jimmy uit lopen, zonder achterom te kijken. Omdat ze in de richting van het basketbalveldje moesten vertrekken, namen ze niet de kortste weg naar het kanaal maar maakten een grote lus door het dorp.

Jimmy's ademhaling was nog steeds niet normaal. Hij zou kunnen wegglippen. Bij elke zijstraat of tuin met diepe oprit kwam dat idee opnieuw in hem op, maar hoe langer hij ermee wachtte, hoe minder moed hij had om een lafaard te zijn.

Vrijwel alle dorpelingen die Jetmira en Tristan kruisten op straat, groetten hen vriendelijk. Een habitué die op het terras van het dorpscafé koffiedronk, zwaaide met het bijgeleverde koekje, dat Jetmira met een vriendelijk gebaar afwees.

De kapster stak een duim op vanachter haar klant.

Een tegenligger met hond vroeg om een pass en trapte de bal haarscherp terug voor Tristans voeten.

Tientallen huizen op de route hadden de posters opgehangen die Johan gisteren bij zich had. Achter al die ramen diezelfde foto van het gezin Ibrahimi. Alsof Tristan en Jetmira door een haag liepen van steeds datzelfde bosje toeschouwers, onder wie zijzelf.

De uitbaatster van de kaarsenwinkel die haar wagen stond te wassen, wees naar de flyer die ze zowel in de etalage als aan de ruit van haar camionette had geplakt. Ze liet nu zelfs twee kaarsjes branden, riep ze.

Een kleutervader die Jimmy weleens aan de schoolpoort had gezien, stak hun beiden een muntstuk toe.

Jimmy kreeg geen duim, geen bal, geen muntstuk. Geen van deze mensen leek echt te weten wie hij was. Of misschien wisten ze het wel, hadden ze gehoord wat zijn vader met het verzekeringsgeld van een aantal dorpelingen had gedaan en wilden ze de zoon van zo iemand niet aankijken.

Tristan en Jetmira vertraagden hun pas en sloegen de Beemdstraat in. Jimmy moest zijn best doen hen niet in te halen. Hij was het gewend om voor hen uit door het dorp te lopen, dingen te tonen, hen op sleeptouw te nemen naar de plekken die hij beter kende dan zij.

Ze naderden de broodautomaat. Een oude buurvrouw met kleinkind in de buggy en brood onder de arm hield halt, toonde Jetmira de baby. Die kneep in het wangetje, trok wat gekke bekken, werd gevraagd naar Albanese woorden voor ‘oma’, ‘baby’. Nu pas draaide Tristan zich om en keek of Jimmy er nog was. Jimmy bukte zich en deed alsof hij zijn veters knoopte, hij bleef vooroverhangen tot de vrouw met babywagen ook hem was gepasseerd.

Waarom duwden ze deze twee niet in het water? Oma's konden veel geloofwaardiger verdrinken, en een baby redden, was dat geen grotere heldendaad?

Als niemand Jimmy zag lopen hier, en niemand de moeite deed om hem te begroeten, waarom zouden ze erom geven dat hij werd gered? Niemand in het dorp, behalve Tristan, zou merken dat hij weg was. Zijn moeder zou weer een paar maanden niet uit bed komen, maar ze zou zich eroverheen zetten en twee extra puppy's nemen en hun mandjes in zijn slaapkamer zetten en daarna, net als bij zijn vader, elke dag herhalen dat ze die hondjes nooit meer zou willen omruilen voor zijn terugkeer. 'Opgestaan, plaats vergaan.'

Hij kon het niet laten, ging toch even voelen in het luikje van de automaat, maar nee, niets, en uiteindelijk was het maar beter zo, muntgeld in zijn broekzakken zou het bovenblijven in het water alleen maar bemoeilijken.

Aan het einde van de Veerstraat passeerden ze de bungalow met plat dak. De zwart-gele leeuw hadden deze mensen al veel langer wapperen, maar sinds de aankomst van de Ibrahimi's was er een zwart-oranje poster aan het raam bij gekomen, met een zinnetje over vluchtelingen dat je gelukkig net niet kon lezen vanaf de straat, want Tristan moest daar elke dag langs om naar school te gaan.

Sinds de aankomst van de Ibrahimi's putten enkelingen er genoegen uit géén hulp te bieden, en alsof dat nietsdoen niet genoeg was, wilden ze het ook nadrukkelijk aan Tristan of zijn broers of zussen komen vertellen. De man die in deze bungalow woonde, had Tristan aan de schoolpoort ooit aangesproken op de merkkleren die hij droeg, die duurder waren dan de kleding waarin hij zijn eigen kinderen naar school stuurde, hij die als gezinshoofd wél elke dag gewoon ging werken als magazijnier.

Tristan had de man rustig aangehoord, met zijn hand een extra schelp vormend rondom zijn slechte oor. Jimmy had Tristans beleefdheid bewonderd, maar een uur later, toen ze onkruid plukten in de moestuin, en Jimmy had gevraagd of Tristan wist wat jaloezie betekende, had hij de rotte krieltjes met zo'n kracht tegen de muur kapotgegooid dat Jimmy er niet dieper op in was gegaan.

Jimmy wist heel goed wat jaloezie betekende. Hoe vaak had hij Tristans vorderingen op zwemwoensdag met eigen ogen vanuit het middelste bad moeten aanschouwen. Natuurlijk was hij blij voor Tristan dat die zich een paar maanden na zijn aankomst, door de hulp van meneer Pieters, had opgewerkt tot het diepste bad, maar het was niet leuk geweest om daarna elke woensdag te moeten toekijken hoe Tristan op de rand durfde plaats te nemen tussen de zesdejaars en zonder zwemplankje het water in dook, helemaal zijn werkelijke leeftijd tellend, van kop tot teen twaalf.

Tristan had makkelijk praten gehad daarstraks, toen hij zei dat Jimmy de enige was die niet kon zwemmen. Als meneer Pieters er geen persoonlijke zaak van had gemaakt Tristan aan een brevet van 1500 meter te helpen, was Tristan geen waterrat geworden en dreef ook hij binnen de paar minuten rond als een wesp in een glas cola. En het was niet in Tristan opgekomen om alle instructies en trucjes die hij van meneer Pieters kreeg door te spelen aan Jimmy, zoals Jimmy dat wel deed met alle leerstof.

Ze liepen langs het zelfbedieningstankstation aan de rand van het dorp, vlak voor de brug, waar de zoon van de pompuitbater nu fietsherstellingen deed. Daar stond een politiewagen, een van de agenten stond te tanken, de ander sloeg een praatje met de fietsenmaker. Meteen kregen Tristans bewegingen iets schichtigs. Hij nam Jetmira bij de arm en trok haar gehaast naar de overkant van de weg.

Jimmy zou liever niet mee oversteken, hij wilde zo dicht mogelijk in de buurt van deze agenten vertoeven, maar hij moest wel, Jetmira keek achterom.

Ze gingen de helling van de brug op, tot beetje bij beetje de brede strook grijsbruinblauw water zichtbaar werd.

Er waren geen huizen meer die aangaven welke afstand hij moest aanhouden, Jimmy had Jetmira en Tristan steeds meer voorsprong laten nemen. Zij waren de brug al over, terwijl hij nog aan de oversteek moest beginnen.

Normaal gezien kwam hij hier op de fiets. Dan hield hij halverwege de brug halt en boog zich over de reling heen om te kijken naar het water, overzichtelijk tussen twee loodrechte grijze strepen van asfalt, tot zover je kijken kon, en naar de schepen die af en toe passeerden, met hun gezinswagen op het dek. Deze winter had hij een dood hert zien langsdrijven. En een paar maanden eerder was er verderop, in Massenhoven, een bestelwagen met een vermiste vijftiger uit het water gevist, die droeg zijn veiligheidsgordel nog. Er waren zo veel kinderen uit het dorp die een verbod hadden om langs het kanaal te spelen dat Jimmy zelf aan zijn moeder had gevraagd of er geen plaatsen waren waarvan zij vond dat hij er beter niet rondhing.

Vandaag liep hij langs de reling zonder een blik op het water te werpen. Hij probeerde naar het wegdek te kijken, naar de punten van zijn eigen schoenen.

Die moest hij zo meteen aanhouden als hij in het water viel, begreep hij opeens. Zelfs gewoon wandelen werd bij deze gedachte moeizamer.

Toen Jimmy de overzijde van de brug had bereikt, stonden Jetmira en Tristan al beneden, op het jaagpad. Ze liepen onder Jimmy door. Van hieruit leken ze allebei even groot, Tristan leek zelfs ouder, hij had de breedste schouders van de twee.

Jimmy wist het zeker: als hij zich nu zou omdraaien en weglopen, dan hing alles af van Johans schoonbroer, de advocaat. En als die ervoor kon zorgen dat de Ibrahimi's

toch langer in België mochten blijven, dan zou Tristan zeker geen tijd meer met Jimmy willen doorbrengen. Tristan zou contact zoeken met de jongens van het zesde met wie hij op de rand van het zwembad voor het duiken verzamelde. Hij zou in hun aanwezigheid voortdurend zijn echte leeftijd zijn, interesse krijgen in meisjes en in één klap te oud zijn voor flippo's. Hij zou in het leven van Jimmy voorkomen zoals hij hier nu beneden onder hem door liep, zonder op of om te kijken.

Jimmy volgde hen het jaagpad op. Het was nog een kort stukje wandelen langs het kanaal. Ze passeerden een bordje waarop 0.7 stond, liepen voorbij de splitsing die naar de Dijkstraat leidde, hielden halt bij een bordje waarop 0.8 stond. Jimmy had deze bordjes nooit eerder opgemerkt, ze gaven vast en zeker aan hoeveel personen er per honderd lopende meter van dit kanaal gemiddeld waren verdronken, zoals de cijfertjes in Mijnenveger aanduidden hoeveel mijnen er aan het vakje grensden.

Bij bordje 0.8 was er een laddertje. Jetmira en Tristan discussieerden, keken over de rand van het jaagpad het water in, daarna liepen ze een stuk terug, tot aan bordje 0.7. Jimmy liep op een paar meter afstand mee heen en weer.

Ze leken op zoek te zijn naar de precieze locatie die ze bij hun voorbereiding hadden uitgezocht. Even hielden ze zich gedeisd, om niet de aandacht te trekken van een fietser die aan de overkant van het kanaal passeerde. Zodra die weg was, discussieerden ze verder in het Albanees. In zijn moedertaal beschikte Tristan over meer felheid, meer zelfvertrouwen dan wanneer hij Nederlands sprak. Ook al was een zwemmend lichaam niet afhankelijk van taal, toch wilde Jimmy liever gered worden door de Albanees sprekende Tristan dan door de Vlaams sprekende.

Jimmy stapte op ze toe. 'Is er een probleem?' vroeg hij. 'Als jullie het niet met elkaar eens zijn, dan kunnen we het maar beter uitstellen.'

De plaats die ze voor ogen hadden, was te dicht bij een laddertje, legde Tristan uit. Zonder laddertje in de buurt was het te gevaarlijk, vond Jetmira. Een redding zou belachelijk zijn als Jimmy er evengoed zelf uit zou kunnen klimmen, vond Tristan. Jetmira gaf schoorvoetend toe.

Ze stonden op de strook gras nu, vlak bij de schuin aflopende boord. Jimmy probeerde het water recht aan te kijken, in de hoop af te kunnen dwingen dat het hem zou sparen. Het water gaf op geen enkele manier mee. In het zwembad lag het oppervlak maar twintig centimeter onder de rand, hier lag het zeker nog een meter lager.

Op zijn gezicht moest af te lezen zijn dat hij moeilijk adem kreeg, want Jetmira legde een hand op zijn schouder. 'Gewoon rustig ademen. De bovenste laag van het water zal waarschijnlijk niet zo koud zijn als bij de proef gisteren, in de zomer warmt de zon het op. Het enige wat je moet doen, is bovenblijven tot Tristan er is. Drijven, dat doe je vanzelf, als je maar rustig blijft. Je mag wel eventjes spartelen en naar Tristan schreeuwen, zodat het eruitziet alsof je in paniek bent. En niet zelf al naar de kant zwemmen, beweeg eerder maar wat van de kant weg.' Ze pauzeerde kort. 'Ga je dit onthouden, Jimmy?'

'Ja,' zei Jimmy. Het woord kwam bijna niet uit zijn keel.

'Jimmy' – Tristan klonk wat ongeduldig – 'geen paniek, dit is een reddingsactie, geen verdrinkingsactie. En het is geen zee, het is maar een kanaal.'

Het is maar een kanaal, herhaalde Jimmy hardop, het is geen zee. Hoe kon hij ontspannen bij twee mensen die in het verleden al iemand hadden zien verdrinken? Zij konden zich uit de voeten maken wanneer dit fout dreigde te lopen en niemand zou weten dat het een gezamenlijk plan was geweest, dat Jimmy eigenlijk een held was, en geen domkop die achter een goedkope voetbal aan was gedoken in het Albertkanaal terwijl hij voetballen haatte en blij zou zijn als alle ballen ter wereld in het kanaal verdwenen.

'Ik ga me opstellen,' zei Jetmira. Ze liep weg over het jaagpad, vlak voor de afslag naar de Dijkstraat kroop ze in de bosjes.

Wilde Jimmy er nog onderuit, dan was dit zijn laatste kans. Dan moest hij nu gewoon wegrennen.

Zwijgend stonden hij en Tristan naast elkaar. De mouwen van hun truien schuurden langs elkaar. Iets in Tristans blik maakte dat Jimmy bleef staan.

'Het komt goed,' zei Tristan, en hij herhaalde het nog een keer. 'Ik red jou, en jij redt ons. Ik verlies je niet uit het oog, jij verliest mij niet uit het oog. Tussen onze ogen zal een onzichtbaar touw hangen dat alleen wij kunnen zien.'

Jimmy knikte. Als je beter luisterde gaf het tegen de rand klotsende water een ritme aan, de maat van de schoolslag.

Als het plan lukte, zou Tristan een lintje krijgen, of een borstspeld of wat er ook precies werd uitgereikt, wie weet zou hij vanavond in het televisiejournaal komen. De presentator zou willen weten waar Tristan zo goed had leren zwemmen, ze zouden meneer Pieters om een reactie vragen. Zouden ze ook een vraag stellen aan degene die gered was? Was Jimmy bang geweest, was hij dankbaar? – Nee, niet bang, zou hij zeggen, en ja natuurlijk, hij had zijn leven aan zijn vriend te danken. En misschien, wie weet, zou zijn vader ook zitten kijken, en hem daarna opbellen, dan kon Jimmy hem eindelijk de punten van zijn rapport voorlezen.

Tristan legde een arm om Jimmy heen en drukte hem tegen zich aan. Ze stonden een paar tellen stil, met de bal voor hun voeten. Jimmy dacht een snik te horen en liet Tristan los om te kijken of het werkelijk waar was, want dan zouden ze dit kunnen afblazen, maar er was van tranen niets te merken en meteen speet het Jimmy dat hij de knuffel zo snel had ontbonden.

In stilte wachtten ze, de oren gespitst. Het water leek het tempo van het klotsen op te voeren. Jimmy keek of er in de verte geen schip aankwam. Je mocht nooit tegelijk met een schip in het water zijn, dat zoog je naar zijn schroef toe, wist hij uit een documentaire die hij op school had gezien, de bladen van de schroef waren scherp, je lichaam werd door het water gemaald, je werd een smoothie. Hij moest zo veel mogelijk lucht in zijn longen houden, zodat hij een soort bal werd. Misschien kon hij de bal als plankje gebruiken, en met de bal in zijn handen in het water springen?

Alles wat mis kon gaan, verdrong zich aan de uitgang van zijn gedachten, zoals drommende leerlingen die elkaar ophouden aan de poort naar de speelplaats wanneer de bel gaat.

In de verte klonk plots een zacht, maar onmiskenbaar gekraai van een haan. Het leek verdacht veel op een echte haan.

Ze keken elkaar aan.

Wat als de haan uit een van de tuinen uit de buurt zich verslapen had en nu pas was beginnen te kraaien? Dan zouden ze deze redding zonder getuige doen, en dus voor niets.

Tristan tikte de bal aan, die viel met een doffe plof in het water en bleef drijven.

Jimmy nam plaats op de schuine rand van de kade. De bal was al te ver verwijderd om ernaartoe te springen om zich eraan vast te klampen. Hij had geen stroming verwacht.

Hij wilde wel springen, maar kon het niet. Het water onder hem was donker, zwart bijna.

Opnieuw het gekrijs van een haan, nu wel duidelijk de Kosovaarse soort, en eentje met haast.

Er zat een slot op zijn bewegingen, hij kende de code niet meer.

Doen, niet nadenken, dat was het.

Hij zou zo voorzichtig mogelijk het water in springen, hij zou het gladde oppervlak zo min mogelijk breken, zodat zijn haren droog zouden blijven.

Hij stond niet hier, maar op het muurtje in Klein Kosovo,

onder hem was de stalvloer.

Juist op het ogenblik dat Jimmy in beweging wilde komen, voelde hij een krachtige en niet te miskennen duw in de rug, waartegen hij zich meteen verzette. Spartelend en maaiend viel hij een meter naar beneden.

Alles viel weg, iets gaf een klap tegen zijn hoofd, een ijskoude dreun die alle lucht uit zijn longen trok. Pas na de koude werd hij het water gewaar, hoe nat alles was, zijn kleding had zich meteen volledig overgegeven, zijn broek zoog zich tegen zijn lichaam, het rondje van de flippo's drukte tegen zijn huid, zijn trui en T-shirt waren bij de sprong omhooggeschoven, vormden een nat pak onder zijn oksels.

Het was overweldigend, het donker, het gebrek aan overzicht, aan richting, aan oppervlakte, hij was nog nooit zoveel kwijt geweest in één keer. Hij trappelde, krabbelde, greep om zich heen, zocht met alles wat hij in zich had naar houvast. Hij mocht niet uitademen, zonder lucht was hij verloren.

Het lukte, er was een einde gekomen aan het zinken, een zachte kracht stuwde hem naar boven, hij brak door het oppervlak, hapte naar lucht, kon niet uit zijn brandende ogen zien, enkel het waas van een steile, veel te hoge betonnen dijk die boven hem uitstak. Tristan was nergens, Tristan was weg, nee, Tristan was er nog, Tristan riep zijn naam.

Hij zakte weer weg, de donkerte in. Het smaakte er muf en naar aarde, naar de slak van gisteren, hij kreeg verschillende slokken binnen, nee, hij moest een bal blijven, gevuld met lucht.

Hij klom weer tot boven, hoestte Tristans naam, zakte weg.

Zwart, wit, donker, licht, rood, groen, weg, aan, uit, onder, boven, hij was een pixel van een televisiescherm en iemand zat te zappen.

Heel even stopte hij met bewegen, zoals Jetmira had gezegd, wie ontspande dreef vanzelf. Het water om hem heen werd rustiger, er was alleen nog het suizen van zijn eigen bloed, en daar rondom een logge stilte, een afwezigheid van duidelijke geluiden. Uit zijn kleding ontsnapte de laatste lucht, die de kortste weg naar het wateroppervlak zocht, belletjes langs zijn nek en rug. Hij dreef maar kwam niet boven het water uit, het water trok aan hem met duizenden handen, rukte een schoen van zijn voet.

Hij trappelde weer. Een zware voet, een pluimvoet. Hij was al eeuwen aan het watertrappelen. Nog een slok. En nog een slok.

Hij raakte de tel kwijt hoe vaak hij kopje-onder zakte. De bal zag hij nergens meer.

Misschien ging verdrinken zo: eerst slorp jij het water op, tot het water jou van binnenuit heeft opgeslorpt.

Hij kwam weer boven, hoorde Tristan nog steeds naar hem roepen, een geluid dat van ver kwam, vanop het droge. Wat deed Tristan daar nog steeds, waar wachtte hij op? Dit moest een val zijn, ze hadden een ander plan waarvan ze hem niet op de hoogte hadden gebracht, ze zouden hem gewoon laten verdrinken, zijn geboortedatum stelen, zijn naam en klasnummer overnemen, zijn plaats bezetten.

Hij was afgedreven, bevond zich inmiddels ver van de kade af. In een poging zijn neus boven water te houden kantelde hij zijn hoofd naar achteren. Roepen ging niet, het water had alle geluid uit hem gewrongen.

Verschillende stemmen op de oever.

Jimmy hoorde de plons, zag niets. Door de golf die zich verspreidde kreeg hij weer een grote slok water binnen.

De mensen op de kade schreeuwden dingen die Jimmy niet kon verstaan en die waarschijnlijk voor Tristan waren bedoeld. Tristan was nergens, nog steeds niet, nog steeds niet, nog steeds niet, Tristan was vast op de bodem met zijn kop ergens tegenaan gestoten, een fiets, een auto, een betonmolen, tegen al die spullen die mensen in het water hadden gegooid omdat ze ze niet meer bij de Ibrahimi's hadden mogen droppen, hij zou nooit meer bovenkomen,

ze zouden een plek naast elkaar krijgen op het kinderkerkhof. Of nee – daar was hij, met kracht scheurde Tristan door het oppervlak. Onder water was hij tot bij Jimmy gezwommen, hij was vlakbij, de spetters die hij uitproestte vlogen in Jimmy's gezicht.

Daar waren Tristans handen die hem vastgrepen. Eerst spartelde hij vanzelf tegen, omdat Tristan zich met zijn gewicht aan het zijne vastklikte en hem uit evenwicht trok, pas toen Jimmy stopte met trappelen, veranderde het gewicht van kant, kwam alles bij Tristan terecht.

Tristan trok Jimmy in rugligging, nam hem bij de schouders, strekte zijn lichaam onder dat van Jimmy uit, ze vormden een dubbeldekker. Jimmy kon de spierkracht in Tristans schrap gezette bovenlijf voelen, het forse trappen van zijn benen; het water dat plaats voor hun doortocht maakte, zocht naar wegen tussen hen in.

Ze wisselden geen woord. Jimmy probeerde zich helemaal over te geven, elk spiertje in zijn lichaam, al zijn gewicht, niets van verzet. Alleen voor zijn ademhaling en zintuigen zorgde hij zelf nog.

Hij keek omhoog. Het was bewolkt, de wolken dreven met ongeveer dezelfde snelheid door de hemel als zij door het water. Op de brug boven hen reed in een gemoedelijk tempo de politiewagen langs.

Jetmira begon iets te roepen. Ze stond tussen de opgetrommelde buren, een man of drie, vier, die schreeuwend met grote bewegingen in de richting van de dienstwagen begonnen te zwaaien. Tristan had Jimmy nog verder doen afdrijven van de rand, maar hij bleef rustig en wist wat hij deed, hij ontweek de klotsende, zuigende zijkant, voltooide de route die hij voor ogen had, slag na slag na slag.

De hoofden van twee agenten verschenen boven de reling van de brug, een van hen brulde Tristan met zware stem instructies toe.

De agenten verdwenen weer. De sirene werd aangezet. Het geloei was vlakbij maar leek tegelijkertijd overal vandaan te komen. Jimmy hing zo dicht tegen Tristan aan dat hij de schok kon voelen. Tristan stokte plots in zijn bewegingen. Hij werd een steen. Alle gewicht wisselde van kant, kwam bij Jimmy terecht. Ze gingen meteen kopje-onder.

Jimmy wilde Tristan geruststellen, het was maar een sirene, de politie was goedaardig, er was geen gevaar – hij probeerde met zijn mond boven water te komen om hem aan te spreken, maar het merendeel van zijn woorden werd verzwolgen.

Hij kon niet anders, hij moest de steen kwijt. Hij wrong zich los uit Tristans greep, spartelde bij hem vandaan.

De rest nam Jimmy waar in stilstaande beelden, elke keer dat hij erin slaagde boven water te komen. Het rumoer op de kade, de mensen die dingen riepen, iemand die naar het sluiswachtershuisje in de verte rende, Jetmira die geknield een arm naar het water uitstrekte, eindelijk het blauwe zwaailicht nabij, de stilte die volgde op het uitschakelen van de sirene, een agent die zich ontdeed van zijn vest en schoenen, de blik in Tristans ogen, of eerder: het niets in Tristans ogen.

Deze novelle is geïnspireerd op het verhaal van de familie Zenelaj. Dit gezin van tien kwam in november 1998, op de vlucht voor de Kosovo-oorlog, in Viersel terecht en werd door het dorp opgevangen. Hun in België geboren zoon kreeg uit dankbaarheid de naam Albert. Het gezin werd in 1999 uitgewezen, maar na massaal protest van het dorp werd hun uiteindelijk toch asiel verleend.

Grote dank aan de Belgische Wandel Gids Compagnons Rob, Bregje, Michaël, Daniël, Marscha, Frank, Bowi, Isabel, Isabella, Annemiek, Anita, Astrid, Elske, iedereen van Das Mag en de CPNB.

In Eva's geboortejaar worden in het kleine Vlaamse Bovenmeer slechts twee andere kinderen geboren, allebei jongens. De drie maken er hun hele jeugd samen maar het beste van, tot de puberteit aanbreekt. Opeens ontstaan er andere verhoudingen. De jongens bedenken wrede plannen en de bedeesde Eva kan hieraan meedoen of haar enige vrienden verraden. Die keuze is geen keuze.

Dertien jaar na een snikhete zomer die volledig uit de hand loopt, keert Eva terug naar haar geboortedorp met een blok ijs in de kofferbak. Gaandeweg wordt duidelijk dat zij dit keer de plannen bepaalt.

De Brusselse Leo is tien jaar samen met haar vriend Simon. Verbonden door een moeizame jeugd, heeft het koppel weinig anders nodig dan elkaar. Tot alles kantelt: Simon komt midden in de nacht thuis en lijkt vanaf dat moment iemand anders. Langzaam valt Leo's minutieus opgebouwde bestaan uiteen, tot het punt waarop het gevaarlijk wordt.

Ik ben er niet is een liefdesverhaal over toewijding en verraad, over twee mensen die op hun eigen manier gemankeerd zijn, maar die hun uiterste best doen opgemerkt te worden, lief te hebben en te leven.

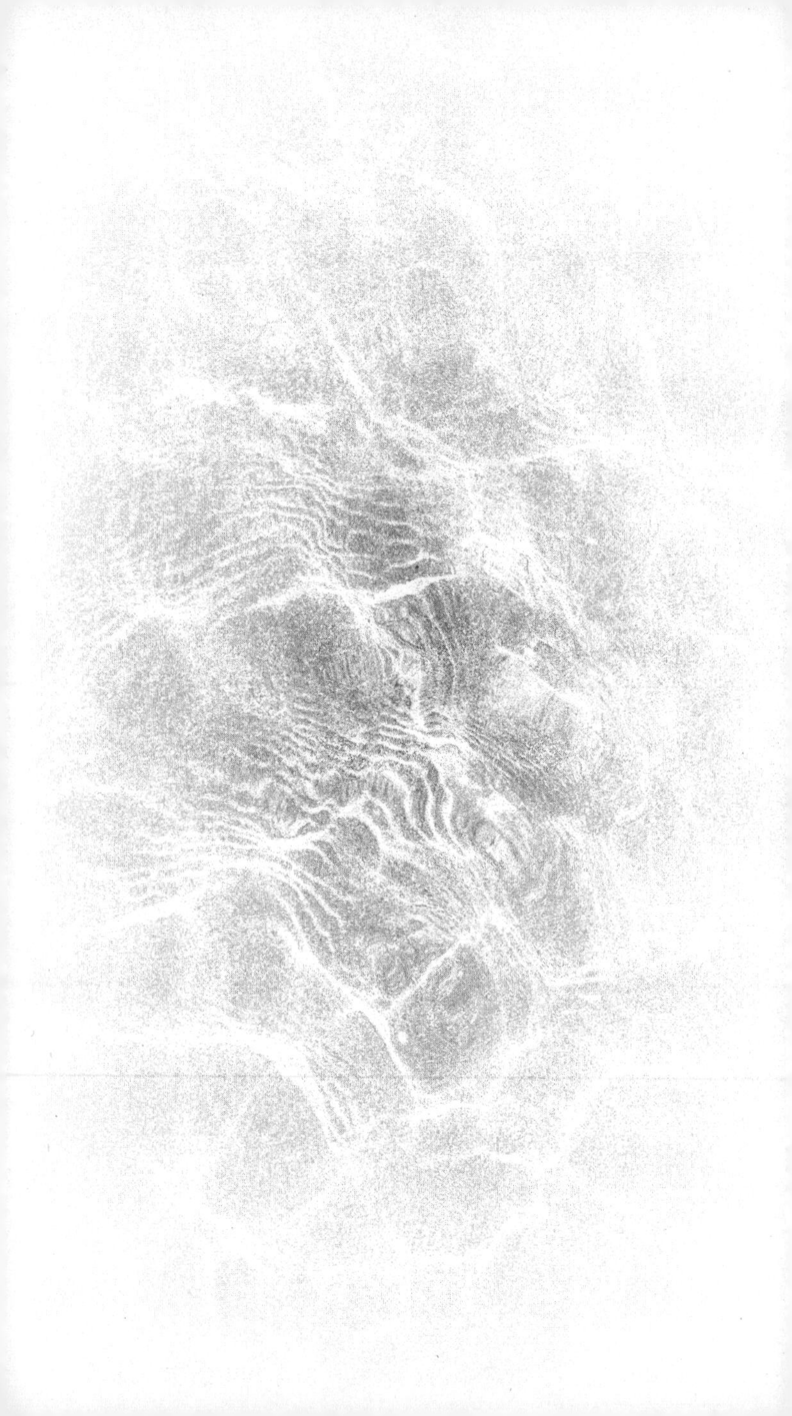